GW01044932

La sociedad del cansancio

Títulos de la colección Pensamiento Herder

Antonio Valdecantos La moral como anomalía
Antonio Campillo El concepto de lo político en la sociedad global
Simona Forti El totalitarismo: trayectoria de una idea límite
Nancy Fraser Escalas de justicia
Roberto Esposito Comunidad, inmunidad y biopolítica
Fernando Broncano La melancolía del ciborg
Carlos Pereda Sobre la confianza
Richard Bernstein Filosofía y democracia: John Dewey
Amelia Valcárcel La memoria y el perdón
Judith Shklar Los rostros de la injusticia
Victoria Camps El gobierno de las emociones
Manuel Cruz (ed.) Las personas del verbo (filosófico)
Jacques Rancière El tiempo de la igualdad
Gianni Vattimo Vocación y responsabilidad del filósofo
Martha C. Nussbaum Las mujeres y el desarrollo humano
F. Birulés, A. Gómez Ramos, C. Roldán (eds.) Vivir para pensar
Gianni Vattimo y Santiago Zabala Comunismo hermenéutico
Fernando Broncano Sujetos en la niebla
Gianni Vattimo De la realidad
Byung-Chul Han La sociedad de la transparencia
Alessandro Ferrara El horizonte democrático
Byung-Chul Han La agonía del Eros
Antonio Valdecantos El saldo del espíritu
Byung-Chul Han En el enjambre
Byung-Chul Han Psicopolítica
Remo Bodei Imaginar otras vidas
Wendy Brown Estados amurallados, soberanía en declive
Slavoj Žižek Islam y modernidad
Luis Sáez Rueda El ocaso de occidente
Byung-Chul Han El aroma del tiempo
Antonio Campillo Tierra de nadie
Byung-Chul Han La salvación de lo bello
Remo Bodei Generaciones
Byung-Chul Han Topología de la violencia
Antonio Valdecantos Teoría del súbdito
Javier Sádaba La religión al descubierto
Manuel Cruz Ser sin tiempo
Byung-Chul Han Sobre el poder
Cass R. Sunstein Paternalismo libertario
Byung-Chul Han La expulsión de lo diferente
Maurizio Ferraris Movilización total

Byung-Chul Han

La sociedad del cansancio

SEGUNDA EDICIÓN AMPLIADA

traducción de
Arantzazu Saratxaga Arregi
Alberto Ciria

Herder

Título original: Die Müdigkeitsgesellschaft
Traducción: Arantzazu Saratxaga Arregi y Alberto Ciria
Diseño de la cubierta: PURPLEPRINT *creative*

2.ª edición, 5.ª impresión 2018

ISBN: 978-84-254-3854-7

Imprenta:REINBOOK
Depósito legal: B-19.633-2017

Impreso en España – Printed in Spain

Herder
www.herdereditorial.com

ÍNDICE

LA SOCIEDAD DEL CANSANCIO

PRÓLOGO
EL PROMETEO CANSADO

El mito de Prometeo puede reinterpretarse considerándolo una escena del aparato psíquico del sujeto de rendimiento contemporáneo, que se violenta a sí mismo, que está en guerra consigo mismo. En realidad, el sujeto de rendimiento, que se cree en libertad, se halla tan encadenado como Prometeo. El águila que devora su hígado en constante crecimiento es su álter ego, con el cual está en guerra. Así visto, la relación de Prometeo y el águila es una relación consigo mismo, una relación de autoexplotación. El dolor del hígado, que en sí es indoloro, es el cansancio. De esta manera, Prometeo, como sujeto de autoexplotación, se vuelve presa de un cansancio infinito. Es la figura originaria de la sociedad del cansancio.

Kafka emprende una reinterpretación interesante del mito en su críptico relato «Prometeo»: «Los dioses se cansaron; se cansaron las águilas; la herida se cerró de cansancio». Kafka se imagina aquí un cansancio curativo, un cansancio que no abre heridas, sino que las cierra. *La herida se cerró de cansancio.* Asimismo, el presente ensayo desemboca en la reflexión de un cansancio curativo. Tal cansancio no resulta de un rearme desenfrenado, sino de un *amable desarme del yo*.

LA VIOLENCIA NEURONAL

Toda época tiene sus enfermedades emblemáticas. Así, existe una época bacterial que, sin embargo, toca su fin con el descubrimiento de los antibióticos. A pesar del manifiesto miedo a la pandemia gripal, actualmente no vivimos en la época viral. La hemos dejado atrás gracias a la técnica inmunológica. El comienzo del siglo XXI, desde un punto de vista patológico, no sería ni bacterial ni viral, sino neuronal. Las enfermedades neuronales como la depresión, el trastorno por déficit de atención con hiperactividad (TDAH), el trastorno límite de la personalidad (TLP) o el síndrome de desgaste ocupacional (SDO) definen el panorama patológico de comienzos de este siglo. Estas enfermedades no son infecciones, no son infartos ocasionados por la *negatividad* de lo otro inmunológico, sino por un exceso de *positividad*. De este modo, se sustraen de cualquier técnica inmunológica destinada a repeler la negatividad de lo extraño.

El siglo pasado era una época inmunológica, mediada por una clara división entre el adentro y el afuera, el amigo y el enemigo o entre lo propio y lo extraño. También la guerra fría obedecía a este esquema inmunológico. Ciertamente, el paradigma inmunológico del siglo pasado estaba, a su vez, dominado por completo por el vocabulario de la guerra fría, es decir, se regía conforme a un verdadero dispositivo militar. Ataque y defensa determinaban el procedimiento inmunológico. Este dispositivo, que se extendía más allá de lo biológico hasta el campo de lo social, o sea, a la sociedad en su conjunto, encerraba una ceguera: se repele todo lo que es extraño. El objeto de la resistencia inmunológica es la extrañeza como tal. Aun cuando el extraño no tenga ninguna intención hostil, incluso cuando de él no parta ningún peligro, será eliminado a causa de su *otredad*.

En los últimos tiempos, han surgido diversos discursos sociales que se sirven de manera explícita de modelos explicativos procedentes del campo inmunológico. Sin embargo, no cabe interpretar el hecho de que el discurso inmunológico esté en boga como indicio de que la sociedad de hoy esté, más que nunca, organizada inmunológicamente. Que un paradigma sea de forma expresa elevado a objeto de reflexión es a menudo una señal de su hundimiento. Desde hace algún tiempo, está llevándose a cabo de manera inadvertida un cambio de paradigma. El final de la guerra fría tuvo lugar, precisamente, en el marco de este cambio.[1] Hoy en día, la sociedad incurre de manera progresiva en una constelación que se sustrae por completo del esquema de organización y resistencia inmunológicas. Se caracteriza por la desaparición de la *otredad* y la *extrañeza*. La otredad es la categoría fundamental de la inmunología. Cada reacción inmunológica es una reacción frente a la otredad. Pero en la actualidad, en lugar de esta, comparece la *diferencia*, que no produce ninguna reacción inmunitaria. La diferencia posinmunológica, es más, posmo-

1 Curiosamente, hay una sutil interacción entre los discursos sociales y biológicos. Las ciencias no están libres de dispositivos que no tienen su origen en la ciencia. Así, después de la guerra fría se produjo un cambio de paradigma también en el marco de la inmunología médica. La inmunóloga norteamericana Polly Matzinger rechaza el antiguo paradigma inmunológico de la guerra fría y diferencia entre *friendly* y *dangerous*, en lugar de entre *self* y *non-self*, es decir, entre lo propio y lo extraño o lo otro (cf. P. Matzinger, «Friendly and dangerous signals: is the tissue in control?», en *Nature Immunology*, vol. 8, 1, 2007, pp. 11-13). El objeto de la resistencia inmunológica ya no consiste en la extrañeza o la otredad como tales. Se repele únicamente al intruso que se comporte de manera destructiva en el interior de lo propio. Mientras lo extraño no llame la atención en este sentido, la resistencia inmunológica no lo afecta. Según la idea de Matzinger, el sistema inmunitario *biológico* es más generoso de lo que hasta el momento se pensaba, pues no conoce ninguna xenofobia; por tanto, es más inteligente que la sociedad humana, que implica xenofobia. Esta corresponde a una reacción inmunitaria patológicamente exagerada, que es nociva incluso para el desarrollo de lo propio.

derna, ya no genera ninguna enfermedad. En el plano de la inmunología corresponde a lo *idéntico*.[2] A la diferencia le falta, por decirlo así, el aguijón de la extrañeza, que provocaría una violenta reacción inmunitaria. También la extrañeza se reduce a una fórmula de consumo. Lo extraño se sustituye por lo exótico y el *turista* lo recorre. El turista o el consumidor ya no es más un *sujeto inmunológico*.

Asimismo, Roberto Esposito basa su teoría de la *Immunitas* en un falso supuesto cuando constata:

> Un día cualquiera de los últimos años, los diarios publicaron, acaso en las mismas páginas, noticias aparentemente heterogéneas. ¿Qué tienen en común fenómenos como la lucha contra un nuevo brote epidémico, la oposición al pedido de extradición de un jefe de Estado extranjero acusado de violaciones a los derechos humanos, el refuerzo de las barreras contra la inmigración clandestina y las estrategias para neutralizar el último virus informático? Nada, mientras se los lea en el interior de sus respectivos ámbitos separados: medicina, derecho, po-

2 Asimismo el pensamiento de Heidegger presenta un carácter inmunológico. Así, rechaza de manera decidida lo *idéntico (das Gleiche)* y le opone el término de lo *mismo (das Selbe)*. En contraposición a lo idéntico, lo mismo guarda una interioridad sobre la que se apoya toda reacción inmunitaria.

> lítica social y tecnología informática. Sin embargo, las cosas son distintas si se los refiere a una categoría interpretativa que halla la propia especificidad justamente en la capacidad de cortar transversalmente esos lenguajes particulares, refiriéndolos a un mismo horizonte de sentido. Como ya se pone de manifiesto desde el título de este ensayo, he identificado tal categoría con la de «inmunización». [...] A pesar de su falta de homogeneidad léxica, todos los acontecimientos antes citados pueden entenderse como una respuesta de protección ante un peligro.[3]

Ninguno de los sucesos que menciona Esposito indica que nosotros nos encontremos en plena época inmunológica. Asimismo, el llamado «inmigrante» no es hoy en día ningún *otro* inmunológico, ningún *extraño* en sentido empático, del que se derive un peligro real, o de quien se tenga miedo. Los inmigrantes o refugiados se consideran como una carga antes que como una amenaza. Del mismo modo, al problema del virus informático no le corresponde ya una virulencia social de semejante dimensión. Así, no es casualidad que Esposito dedique su análisis inmuno-

3 R. Esposito, *Immunitas. Protección y negación de la vida*, Buenos Aires, Amorrortu, 2005, p. 9.

lógico a problemas que no son del presente, sino exclusivamente a objetos del pasado.

El paradigma inmunológico no es compatible con el proceso de globalización. La otredad que suscitaría una reacción inmunitaria se opondría a un proceso de disolución de fronteras. El mundo inmunológicamente organizado tiene una topología particular. Está marcado por límites, cruces y umbrales, por vallas, zanjas y muros. Estos impiden el proceso de cambio e intercambio universal. La promiscuidad general que, en el presente, se da en todos los ámbitos de la vida y la falta de la otredad inmunológicamente efectiva se condicionan de manera mutua. Del mismo modo, la hibridación que domina no solo el actual discurso teórico cultural, sino también el estado de ánimo de la actualidad en cuanto tal es diametralmente opuesta a la inmunización. La hiperestesia inmunológica no permitiría ninguna hibridación.

La dialéctica de la negatividad constituye el rasgo fundamental de la inmunidad. Lo otro inmunológico es lo negativo que penetra en lo propio y trata de negarlo. Lo propio perece ante la negatividad de lo otro si a su vez no es capaz de negarla. La autoafirmación inmunológica de lo propio se realiza, por tanto, como negación de la negación. Lo propio se afirma en lo otro negando su negatividad. También la profilaxis inmunológica, es decir, la vacunación, sigue la dialéctica de la negatividad. En lo propio se insertan solo fragmentos de lo otro a fin de provocar la reacción inmunitaria. La negación de la negación se realiza en este caso sin peligro de muerte porque la resistencia inmunológica no se ve confrontada con lo otro en cuanto tal. Se ejerce voluntariamente una pequeña autoviolencia para protegerse de una violencia mucho mayor, que sería mortal. La desaparición de la otredad significa que vivimos en un tiempo pobre de negatividad. Ciertamente, las enfermedades neuronales del siglo XXI siguen a su vez una dialéctica, pero no de la negatividad, sino de la positividad. Consisten en estados patológicos atribuibles a *un exceso de positividad*. La violencia parte no solo de la negatividad, sino también de la positividad, no únicamente de lo otro o de lo extraño, sino también de lo *idéntico*. Por lo visto, es a esta violencia de la positividad a la que se refiere Baudrillard cuando escribe: «El que vive por lo mismo perecerá por lo mismo».[4] Habla, asimismo, de «la obesidad de los sistemas del presente», de los sistemas de información, comunicación y producción. No hay reacción inmunitaria a lo obeso. Baudrillard, sin embargo, describe —y en ello consiste la debilidad de su teoría— el totalitarismo de lo idéntico desde la perspectiva inmunológica:

4 J. BAUDRILLARD, *La transparencia del mal. Ensayo sobre los fenómenos extremos*, Barcelona, Anagrama, 1991, p. 72.

> No es casualidad que hoy se hable tanto de inmunidad, de anticuerpo, de trasplante y de rechazo. En una fase de penuria nos preocupamos de absorber y de asimilar. En una fase pletórica el problema consiste en rechazar y en expulsar. La comunicación generalizada y la superinformación amenazan todas las defensas humanas.[5]

En un sistema dominado por lo idéntico solo se puede hablar de las defensas del organismo en sentido figurado. La resistencia inmunitaria se dirige siempre contra lo otro o lo extraño en sentido empático. Lo idéntico no conduce a la formación de anticuerpos. En un sistema dominado por lo idéntico no tiene sentido fortalecer las defensas del organismo. Debemos diferenciar entre el rechazo inmunológico y el no inmunológico. Este último va dirigido a la *sobreabundancia de lo idéntico*: al exceso de positividad. No implica ninguna negatividad y tampoco conforma ninguna exclusión que requiera un espacio interior inmunológico. El rechazo inmunológico, por el contrario, es independiente del *Quantum* porque consiste en una reacción frente a la negatividad de lo otro. El sujeto inmunológico, con su interioridad, repele lo otro, lo *expulsa*, aun cuando se dé solo en proporciones insignificantes.

5 *Ibíd.*, p. 82.

La violencia de la positividad, que resulta de la superproducción, el superrendimiento o la supercomunicación, ya no es «viral». La inmunología no ofrece acceso alguno a ella. La repulsión frente al exceso de positividad no consiste en ninguna *resistencia inmunológica*, sino en una *abreacción digestivo-neuronal* y en un rechazo. El agotamiento, la fatiga y la asfixia ante la *sobreabundancia* tampoco son reacciones inmunológicas. Todos ellos consisten en manifestaciones de una violencia *neuronal*, que no es viral, puesto que no se deriva de ninguna negatividad inmunológica. Por eso, la teoría baudrillardesca sobre la violencia carece de claridad argumentativa, puesto que intenta describir la violencia de la positividad, o mejor dicho, de lo idéntico, que no implica ninguna otredad, desde claves inmunológicas. Así, escribe:

> Se opone una forma propiamente contemporánea de violencia, más sutil que la de la agresión: es la violencia de la disuasión, de la pacificación, de la neutralización, del control, la violencia suave del exterminio. Violencia terapéutica, genética, comunicacional: violencia del consenso [...]. Esta violencia es vírica, en el sentido de que no opera frontalmente sino por contigüidad, por contagio, por reacción en cadena y desde el primer momento atenta contra todo nuestro sistema inmunológico. En el sentido también de que —a dife-

> rencia de la violencia negativa, la violencia clásica de lo negativo— esta violencia-virulencia opera por exceso de positividad, esto es, por analogía con las células cancerígenas, por proliferación indefinida, por excrecencias y metástasis. Existe una profunda complicidad en la virtualidad y lo vírico.[6]

Según la genealogía baudrillardesca de la enemistad, el enemigo aparece en la primera fase como un lobo. Es «un enemigo externo, que ataca y contra el cual uno se defiende construyendo fortificaciones y murallas».[7] En la siguiente fase, el enemigo adopta la forma de una rata. Es un enemigo que opera en la clandestinidad y se combate por medios higiénicos. Después de una fase ulterior, la del escarabajo, el enemigo adopta por último una forma viral: «El cuarto estadio lo conforman los virus; se mueven, por decirlo así, en la cuarta dimensión. Es mucho más difícil defenderse de los virus, ya que se hallan en el corazón del sistema».[8] Se origina «un enemigo fantasma que se extiende sobre todo el planeta, que se infiltra por todas partes, igual que un virus,

6 *Íd.*, «Violencia de la imagen. Violencia contra la imagen», en *La agonía del poder*, Madrid, Círculo de Bellas Artes, 2006, pp. 45-47.

7 *Íd.*, *Der Geist des Terrorismus*, Viena, Passagen, 2002, p. 85.

8 *Ibíd.*, p. 86.

y que penetra todos los intersticios del poder».[9] La violencia viral parte de aquellas singularidades que se establecen en el sistema a modo de durmientes células terroristas y tratan de destruirlo. El terrorismo como figura principal de la violencia viral consiste, según Baudrillard, en una sublevación de lo singular frente a lo global.

La enemistad, incluso en forma viral, sigue el esquema inmunológico. El virus enemigo penetra en el sistema que funciona como un sistema inmunitario y repele al intruso viral. La genealogía de la enemistad no coincide, sin embargo, con la genealogía de la violencia. La violencia de la positividad no presupone ninguna enemistad. Se despliega precisamente en una sociedad permisiva y pacífica. Debido a ello, es menos visible que la violencia viral. Habita el espacio libre de negatividad de lo idéntico, ahí donde no existe ninguna polarización entre amigo y enemigo, entre el adentro y el afuera, o entre lo propio y lo extraño.

La positivización del mundo permite la formación de nuevas formas de violencia. Estas no parten de lo otro inmunológico, sino que son inmanentes al sistema mismo. Precisamente en razón de su inmanencia no suscitan la resistencia inmunológica. Aquella violencia neuronal que da lugar a infartos psíquicos consiste en un *terror de*

9 *Ibíd.*, p. 20.

la inmanencia. Este se diferencia radicalmente de aquel horror que parte de lo *extraño* en sentido inmunológico. Probablemente, la Medusa es el otro inmunológico en su expresión más extrema. Representa una radical otredad que no se puede mirar sin perecer. La violencia neuronal, por el contrario, se sustrae de toda óptica inmunológica, porque carece de negatividad. La violencia de la positividad no es privativa, sino saturativa; no es exclusiva, sino exhaustiva. Por ello, es inaccesible a una percepción inmediata.

La violencia viral, que sigue rigiéndose por el esquema inmunológico del adentro y el afuera, o de lo propio y lo extraño, y que además presupone una singularidad o una otredad contrarias al sistema, no sirve para la descripción de las enfermedades neuronales como la depresión, el TDAH o el SDO. La violencia neuronal no parte de una negatividad extraña al sistema. Más bien es *sistémica*, es decir, consiste en una violencia inmanente al sistema. Tanto la depresión como el TDAH o el SDO indican un exceso de positividad. Este último significa el colapso del yo que se funde por un sobrecalentamiento que tiene su origen en la *sobreabundancia de lo idéntico*. El *hiper* de la hiperactividad no es ninguna categoría inmunológica. Representa sencillamente una *masificación de la positividad*.

MÁS ALLÁ DE LA SOCIEDAD DISCIPLINARIA

La sociedad disciplinaria de Foucault, que consta de hospitales, psiquiátricos, cárceles, cuarteles y fábricas, ya no se corresponde con la sociedad de hoy en día. En su lugar se ha establecido desde hace tiempo otra completamente diferente, a saber: una sociedad de gimnasios, torres de oficinas, bancos, aviones, grandes centros comerciales y laboratorios genéticos. La sociedad del siglo XXI ya no es disciplinaria, sino una sociedad de rendimiento. Tampoco sus habitantes se llaman ya «sujetos de obediencia», sino «sujetos de rendimiento». Estos sujetos son emprendedores de sí mismos. Aquellos muros de las instituciones disciplinarias, que delimitan el espacio entre lo normal y lo anormal, tienen un efecto arcaico. El análisis de Foucault sobre el poder no es capaz de describir los cambios psíquicos y topológicos que han surgido con la transformación de la sociedad disciplinaria en la de rendimiento. Tampoco el término frecuente «sociedad de control» hace justicia a esa transformación. Aún contiene demasiada negatividad.

La sociedad disciplinaria es una sociedad de la negatividad. La define la negatividad de la prohibición. El verbo modal negativo que la caracteriza es el «no-poder»[10] *(Nicht-Dürfen)*. Incluso al deber[11] *(Sollen)* le es inherente una negatividad: la de la obligación. La sociedad de rendimiento se desprende progresivamente de la negatividad. Justo la creciente desregularización acaba con ella. La sociedad de rendimiento se caracteriza por el verbo modal positivo *poder*[12] *(können)* sin límites. Su plural afirmativo y colectivo *Yes, we can* expresa precisamente su carácter de positividad. Los proyectos, las iniciativas y la motivación reemplazan la prohibición, el mandato y la ley. A la sociedad disciplinaria todavía la rige el *no*. Su negatividad genera locos y criminales. La sociedad de rendimiento, por el contrario, produce depresivos y fracasados.

10 El verbo modal *dürfen* se traduce por «poder» en el sentido de «tener permiso». Con ello se indica una posibilidad, o derecho de poder hacer algo en función de que esté o no permitido. Asimismo, su forma negativa, *nicht-dürfen* tiene el significado de prohibición. *[N. de la T.]*

11 El verbo modal *sollen* se traduce por «deber» y expresa un consejo o una obligación autoimpuesta, en el sentido de que resulta muy conveniente y aconsejable cumplir esa imposición. *[N. de la T.]*

12 El verbo modal *können* se traduce por «poder», en el sentido de «posibilidad», o de «ser capaz», «tener capacidad». *[N. de la T.]*

El cambio de paradigma de una sociedad disciplinaria a una sociedad de rendimiento denota una continuidad en un nivel determinado. Según parece, al *inconsciente social* le es inherente el afán de maximizar la producción. A partir de cierto punto de productividad, la técnica disciplinaria, es decir, el esquema negativo de la prohibición, alcanza de pronto su límite. Con el fin de aumentar la productividad se sustituye el paradigma disciplinario por el de rendimiento, por el esquema positivo del poder hacer *(Können)*, pues a partir de un nivel determinado de producción, la negatividad de la prohibición tiene un efecto bloqueante e impide un crecimiento ulterior. La positividad del poder es mucho más eficiente que la negatividad del deber. De este modo, el inconsciente social pasa del deber al poder. El sujeto de rendimiento es más rápido y más productivo que el de obediencia. Sin embargo, el poder no anula el deber. El sujeto de rendimiento sigue disciplinado. Ya ha pasado por la fase disciplinaria. El poder eleva el nivel de productividad obtenida por la técnica disciplinaria, esto es, por el imperativo del deber. En relación con el incremento de productividad no se da ninguna ruptura entre el deber y el poder, sino una continuidad.

Alain Ehrenberg sitúa la depresión en el paso de la sociedad disciplinaria a la sociedad de rendimiento:

> El éxito de la depresión comienza en el instante en el que el modelo disciplinario de gestión de la conducta, que, de forma autoritaria y prohibitiva, otorgó sus respectivos papeles tanto a las clases sociales como a los dos sexos, es abandonado a favor de una norma que induce al individuo a la iniciativa personal: que lo obliga a devenir él mismo [...]. El deprimido no está a la altura, está cansado del esfuerzo de devenir él mismo.[13]

De manera discutible, Alain Ehrenberg aborda la depresión solo desde la perspectiva de la economía del sí mismo *(Selbst)*. Según él, el imperativo social de pertenecerse solo a sí mismo causa depresiones. Ehrenberg considera la depresión como la expresión patológica del fracaso del hombre tardomoderno de devenir él mismo. Pero también la carencia de vínculos, propia de la progresiva fragmentación y atomización social, conduce a la depresión. Sin embargo, Ehrenberg no plantea este aspecto de la depresión; es más, pasa por alto asimismo la violencia *sistémica* inherente a la sociedad de rendimiento, que da origen a *infartos psíquicos*. Lo que provoca la depresión por agotamiento no es el imperativo de pertenecer solo a sí mismo,

13 A. Ehrenberg, *Das erschöpfte Selbst. Depression und Gesellschaft in der Gegenwart*, Frankfurt del Meno, 2008, pp. 14s. (trad. cast.: *La fatiga de ser uno mismo. Depresión y sociedad*, Buenos Aires, Nueva Visión, 2000).

sino la *presión por el rendimiento*. Visto así, el síndrome de desgaste ocupacional no pone de manifiesto un sí mismo agotado, sino más bien un alma agotada, quemada. Según Ehrenberg, la depresión se despliega allí donde el mandato y la prohibición de la sociedad disciplinaria ceden ante la responsabilidad propia y las iniciativas. En realidad, lo que enferma no es el exceso de responsabilidad e iniciativa, sino el imperativo del rendimiento, como nuevo *mandato* de la sociedad del trabajo tardomoderna.

Alain Ehrenberg equipara de manera equívoca el tipo de ser humano contemporáneo con el hombre soberano de Nietzsche: «El individuo soberano, semejante a sí mismo, cuya venida anunciaba Nietzsche, está a punto de convertirse en una realidad de masa: nada hay por encima de él que pueda indicarle quién debe ser, porque se considera el único dueño de sí mismo».[14] Precisamente Nietzsche diría que aquel tipo de ser humano que está a punto de convertirse en una realidad de masa ya no es ningún superhombre soberano, sino el último hombre que tan solo *trabaja*.[15] Al nuevo tipo de hombre, indefenso y des-

14 *Ibíd.*, p. 129.

15 El último hombre de Nietzsche eleva la salud al estatus de diosa: «Se honra la salud». «Nosotros hemos inventado la felicidad —dicen los últimos hombres, y parpadean» (F. NIETZSCHE, *Así habló Zaratustra*, Madrid, Alianza, 2011, p. 40).

protegido frente al exceso de positividad, le falta toda soberanía. El hombre depresivo es aquel *animal laborans* que se explota a sí mismo, a saber: voluntariamente, sin coacción externa. Él es, al mismo tiempo, verdugo y víctima. El sí mismo en sentido empático es todavía una categoría inmunológica. La depresión se sustrae, sin embargo, de todo sistema inmunológico y se desata en el momento en el que el sujeto de rendimiento ya no puede *poder* más. Al principio, la depresión consiste en un «cansancio del crear y del poder hacer». El lamento del individuo depresivo, «Nada es posible», solamente puede manifestarse dentro de una sociedad que cree que «Nada es imposible». No-poder-poder-más conduce a un destructivo reproche de sí mismo y a la autoagresión. El sujeto de rendimiento se encuentra en guerra consigo mismo y el depresivo es el inválido de esta guerra interiorizada. La depresión es la enfermedad de una sociedad que sufre bajo el exceso de positividad. Refleja aquella humanidad que dirige la guerra contra sí misma.

El sujeto de rendimiento está libre de un dominio externo que lo obligue a trabajar o incluso lo explote. Es dueño y soberano de sí mismo. De esta manera, no está sometido a nadie, mejor dicho, solo a sí mismo. En este sentido, se diferencia del sujeto de obediencia. La supresión de un dominio externo no conduce hacia la libertad; más bien hace que libertad y coacción coincidan. Así, el sujeto de rendimiento se abandona a la *libertad obligada* o a la *libre obligación* de maximizar el rendimiento.[16] El exceso de trabajo y rendimiento se agudiza y se convierte en autoexplotación. Esta es mucho más eficaz que la explotación por otros, pues va acompañada de un sentimiento de libertad. El explotador es al mismo tiempo el explotado. Víctima y verdugo ya no pueden diferenciarse. Esta autorreferencialidad genera una libertad paradójica, que, a causa de las estructuras de obligación inmanentes a ella, se convierte en violencia. Las enfermedades psíquicas de la sociedad de rendimiento constituyen precisamente las manifestaciones patológicas de esta libertad paradójica.

16 La libertad, en sentido propio, está vinculada a la negatividad. Es siempre libertad de obligación que parte de lo otro inmunológico. Allá donde el exceso de positividad reemplaza la negatividad, desaparece también el énfasis de la libertad, que dialécticamente procede de la negación de la negación.

EL ABURRIMIENTO PROFUNDO

El exceso de positividad se manifiesta, asimismo, como un exceso de estímulos, informaciones e impulsos. Modifica radicalmente la estructura y economía de la atención. Debido a esto, la percepción queda fragmentada y dispersa. Además, el aumento de carga de trabajo requiere una particular técnica de administración del tiempo y la atención, que a su vez repercute en la estructura de esta última. La técnica de administración del tiempo y la atención *multitasking* no significa un progreso para la civilización. El *multitasking* no es una habilidad para la cual esté capacitado únicamente el ser humano tardomoderno de la sociedad del trabajo y la información. Se trata más bien de una regresión. En efecto, el *multitasking* está ampliamente extendido entre los animales salvajes. Es una técnica de atención imprescindible para la supervivencia en la selva.

Un animal ocupado en alimentarse ha de dedicarse, a la vez, a otras tareas. Por ejemplo, ha de mantener a sus enemigos lejos del botín. Debe tener cuidado constantemente de no ser devorado a su vez mientras se alimenta. Al mismo tiempo, tiene que vigilar su descendencia y no perder de vista a sus parejas sexuales. El animal salvaje está obligado a distribuir su atención en diversas actividades. De este modo, no se halla capacitado para una inmersión contemplativa: ni durante la ingestión de alimentos ni durante la cópula. No puede sumergirse de manera contemplativa en lo que tiene enfrente porque al mismo tiempo ha de ocuparse del trasfondo. No solamente el *multitasking*, sino también actividades como los juegos de ordenadores suscitan una amplia pero superficial atención, parecida al estado de la vigilancia de un animal salvaje. Los recientes desarrollos sociales y el cambio de estructura de la atención provocan que la sociedad humana se acerque cada vez más al salvajismo. Mientras tanto, el acoso laboral, por ejemplo, alcanza dimensiones pandémicas. La preocupación por la buena vida, que implica también una convivencia exitosa, cede progresivamente a una preocupación por la supervivencia.

Los logros culturales de la humanidad, a los que pertenece la filosofía, se deben a una atención profunda y contemplativa. La cultura requiere un entorno en el que sea posible una atención profunda. Esta es reemplazada progresivamente por una forma de atención por completo distinta, la hiperatención. Esta atención dispersa se caracteriza por un acelerado cambio de foco entre diferentes tareas, fuentes de información y procesos. Dada, además, su escasa tolerancia al hastío, tampoco admite aquel aburrimiento profundo que sería de cierta importancia para un proceso creativo. Walter Benjamin llama al aburrimiento profundo «el pájaro de sueño que incuba el huevo de la experiencia».[17] Según él, si el sueño constituye el punto máximo de la relajación corporal, el aburrimiento profundo corresponde al punto álgido de la relajación espiritual. La pura agitación no genera nada nuevo. Reproduce y acelera lo ya existente. Benjamin lamenta que estos nidos del tiempo y el sosiego del pájaro de sueño desaparezcan progresivamente. Ya no se «teje ni se hila». Expone que el aburrimiento es «un paño cálido y gris formado por dentro con la seda más ardiente y coloreada», en el que «nos envolvemos al soñar». En «los arabescos de su forro nos encontramos entonces en casa».[18] A su parecer, sin relajación se pierde el «don de la escucha» y la «comunidad que escucha» desaparece. A esta se le opone diametralmente nuestra comunidad activa. «El don de la escucha» se basa justo en la capacidad

17 W. Benjamin, «El narrador», en *Iluminaciones IV. Para una crítica de la violencia y otros ensayos*, Madrid, Taurus, 1991, p. 118.

18 *Íd.*, *Libro de los pasajes*, Madrid, Akal, 2005, p. 131.

de una profunda y contemplativa atención, a la cual al ego hiperactivo ya no tiene acceso.

Quien se aburra al caminar y no tolere el hastío deambulará inquieto y agitado, o andará detrás de una u otra actividad. Pero, en cambio, quien posea una mayor tolerancia para el aburrimiento reconocerá, después de un rato, que quizás andar, como tal, lo aburre. De este modo, se animará a inventar un movimiento completamente nuevo. Correr no constituye ningún modo nuevo de andar, sino un caminar de manera acelerada. La danza o el andar como si se estuviera flotando, en cambio, consisten en un movimiento del todo diferente. Únicamente el ser humano es capaz de bailar. A lo mejor, puede que al andar lo invada un profundo aburrimiento, de modo que, a través de este ataque de hastío, haya pasado del paso acelerado al paso de baile. En comparación con el andar lineal y rectilíneo, la danza, con sus movimientos llenos de arabescos, es un lujo que se sustrae totalmente del principio de rendimiento.

Con la expresión *vita contemplativa* no debe evocarse aquel mundo en el que originariamente fue establecida. Está ligada a aquella experiencia del ser, según la cual lo bello y lo perfecto son invariables e imperecederos y se sustraen de todo acceso humano. Su carácter fundamental es el *asombro* sobre el *ser-así* de las cosas, que está libre de toda factibilidad y procesualidad. La *duda* moderna y cartesiana reemplaza al *asombro*. Sin embargo, la capacidad contemplativa no se halla necesariamente ligada al *ser* imperecedero. Justo lo flotante, lo poco llamativo y lo volátil se revelan solo ante una atención profunda y contemplativa.[19] Asimismo, el acceso a lo lato y lo lento queda sujeto al sosiego contemplativo. Las formas o los estados de duración se sustraen de la hiperactividad. Paul Cézanne, aquel maestro de la atención profunda y contemplativa, dijo alguna vez que podía *ver* el olor de las cosas. Dicha visualización de los olores requiere una atención profunda. Durante el estado contemplativo, se sale en cierto modo de sí mismo y se sumerge en las cosas. Merleau-Ponty describe la mirada contemplativa de Cézanne sobre el paisaje como un proceso de desprendimiento o desinteriorización. «Al comienzo, trataba de hacerse una idea de los estratos geológicos. Después, ya no se movía más de su lugar y se limitaba a mirar, hasta que sus ojos, como decía Madame Cézanne, se le salían de la cabeza. [...] El paisaje, remarcaba él, se piensa en mí, yo soy su conciencia.»[20] Solo la profunda atención impide «la versatilidad de los ojos»

19 Así, escribe Merleau-Ponty: «Solemos olvidar constantemente las ambiguas y fluidas manifestaciones y pasamos a través de ellas de forma inmediata hacia las cosas por ellas presentadas». (M. Merleau-Ponty, *Das Auge und der Geist. Philosophische Essays*, Hamburgo, Meiner, 1984, p. 16).

20 M. Merleau-Ponty, *Das Auge und der Geist. Philosophische Essays*, *op. cit.*, p. 15.

y origina el *recogimiento* que es capaz de «cruzar las manos errantes de la naturaleza». Sin este recogimiento contemplativo, la mirada vaga inquieta y no lleva nada a expresión. Pero el arte es un «acto de expresión». Incluso Nietzsche, que reemplazó el ser por la voluntad, sabe que la vida humana termina en una hiperactividad mortal, cuando de ella se elimina todo elemento contemplativo:

> Por falta de sosiego, nuestra civilización desemboca en una nueva barbarie. En ninguna época se han cotizado más los activos, es decir, los desasosegados. Cuéntase, por tanto, entre las correcciones necesarias que deben hacérsele al carácter de la humanidad el fortalecimiento en amplia medida del elemento contemplativo. [21]

21 F. Nietzsche, *Humano, demasiado humano*, Madrid, Akal, 2007, p. 180.

VITA ACTIVA

Hannah Arendt, en su ensayo *La condición humana*, trata de rehabilitar la supremacía de la *vita activa* contra la primacía tradicional de la *vita contemplativa* y procura articularla de manera novedosa en atención a su complejidad interna. A su parecer, la *vita activa* ha sido, a lo largo de la tradición, injustamente reducida al mero desasosiego, *necotium* o *a-scholia*.[22] Ella vincula su nueva definición de la

22 En contra de la suposición de Hannah Arendt, tampoco en la tradición cristiana se da una prevalencia unilateral de la *vita contemplativa*. Antes bien, se aspira a una mediación entre *vita activa* y *vita contemplativa*. Así, escribe también san Gregorio Magno: «Hay que saber: si un buen plan de vida exige que se pase de la vida activa a la vida contemplativa, a menudo es útil que el alma vuelva de la vida contemplativa a la vida activa, de manera que la llama de la contemplación, encendida en el corazón, regale a la actividad toda su perfección. Así, la vida activa nos tiene que llevar a la contemplación, pero a su vez la contemplación ha de partir de lo que hemos contemplado en el interior y llamarnos a volver a la actividad». Cf. según A.M. Haas, «Die Beurteilung der *Vita contemplativa* und *activa* in der Dominikanermystik des 14. Jahrhunderts», en *Arbeit, Muße, Meditation*, Zúrich, Verlag der Fachvereine, 1985, pp. 109-131, para esta cita: p. 113.

vita activa a la primacía de la acción y al hacerlo se consagra, como su maestro Heidegger, al accionismo heroico. No obstante, el joven Heidegger orientó la acción decisiva a la muerte. La posibilidad de muerte impone unos límites a la acción y convierte la libertad en algo finito. Por el contrario, Hannah Arendt orienta la posibilidad de acción al nacimiento, lo que da un énfasis más heroico a la acción. Según la autora, el milagro consiste en el hecho mismo de haber nacido y en el nuevo comienzo que los seres humanos, en virtud de su condición de ser nacidos, han de llevar necesariamente a efecto. La creencia, que origina milagros, es reemplazada por la acción. Ahora, los milagros son originados por la acción heroica, a la cual el ser humano es obligado por el hecho de haber nacido. Así, la acción adquiere una dimensión casi religiosa.[23]

Según Arendt, la sociedad moderna, como sociedad de trabajo, aniquila toda posibilidad de

23 «El milagro que salva al mundo, a la esfera de los humanos, de su ruina normal y "natural" es en último término el hecho de la natalidad, en el que se enraíza ontológicamente la facultad de la acción. Dicho con otras palabras, el nacimiento de nuevos hombres y un nuevo comienzo es la acción que son capaces de emprender los humanos por el hecho de haber nacido. Solo la plena experiencia de esta capacidad puede conferir a los asuntos humanos fe y esperanza. [...] Esta fe y esperanza en el mundo encontró tal vez su más gloriosa y sucinta expresión en las pocas palabras que en los Evangelios anuncian la gran alegría: "Os ha nacido hoy un Salvador"». Cf. H. Arendt, *La condición humana*, Barcelona, Paidós, 2009, p. 266.

acción, degradando al ser humano a *animal laborans*, a meros animales trabajadores. Expone que la acción ordena nuevos procesos de manera activa, mientras que el ser humano moderno está sometido pasivamente al proceso de vida anónimo. Incluso la reflexión se degenera reduciéndose a una pura función cerebral que consiste en un ejercicio de cálculo. Todas las formas de la *vita activa*, tanto la fabricación como la acción, se reducen al nivel del trabajo. Así, Arendt considera que la modernidad, que principalmente ha comenzado con una inaudita y heroica activación de todas las capacidades humanas, termina en una mortal pasividad.

La explicación de Arendt sobre la victoria del *animal laborans* no resiste una revisión que se atenga a los desarrollos sociales más recientes. Sostiene que en la modernidad la vida del individuo «está sumergida en el total proceso vital de la especie» y que la única decisión activa e individual consiste ya tan solo en soltarse, por decirlo así, y abandonar su individualidad para poder «funcionar» mejor.[24] La absolutización del trabajo está unida al desarrollo que consiste en que «solo con el posterior concepto de una *societas generis humani* ("sociedad de género humano") "social" comienza a adquirir el significado general de condición humana

24 *Ibíd.*, p. 346.

fundamental».[25] Arendt cree incluso poder reconocer señales de peligro de que el hombre «esté a punto de evolucionar en esa especie animal de la que, desde Darwin, imagina que procede».[26] Supone que si todas las actividades humanas se contemplaran desde un punto suficientemente distante en el universo, ya no aparecerían como actividades, sino como procesos biológicos. Así, para un observador en el cosmos, la motorización se vería como un proceso de mutación, en cuyo transcurso el cuerpo humano, a modo de un caracol, se envuelve con una casa de metal, como bacterias que reaccionan al antibiótico por medio de mutaciones que las convierten en cepas resistentes.[27]

Las descripciones de Arendt del *animal laborans* moderno no se corresponden con las observaciones que podemos hacer en la actual sociedad de rendimiento. El *animal laborans* tardomoderno no renuncia de ningún modo a su individualidad ni a su ego para consumarse trabajando en el proceso vital anónimo de la especie. La sociedad de trabajo se ha individualizado y convertido en la sociedad de rendimiento y actividad. El *animal laborans* tardomoderno está dotado de tanto ego que está por explotar, y es cualquier cosa menos pasivo. Si uno

25 *Ibíd.*, p. 354.
26 *Ibíd.*, p. 335.
27 *Ibíd.*

renunciara a su individualidad y se entregara plenamente al proceso de la especie, gozaría, cuando menos, de la serenidad propia de un animal. El *animal laborans* tardomoderno es, en sentido estricto, todo menos animalizado. Es hiperactivo e hiperneurótico. A las preguntas de por qué durante la modernidad tardía todas las actividades humanas se han reducido al nivel del trabajo y por qué, más allá de esta cuestión, se alcanza un nivel de agitación tan nerviosa hay que buscar otras respuestas.

La moderna pérdida de creencias, que afecta no solo a Dios o al más allá, sino también a la realidad misma, hace que la vida humana se convierta en algo totalmente efímero. Nunca ha sido tan efímera como ahora. Pero no solo esta es efímera, sino también lo es el mundo en cuanto tal. Nada es constante y duradero. Ante esta falta de ser surgen el nerviosismo y la intranquilidad. El hecho de pertenecer a la especie habría podido ayudar al animal que trabaja para ella a alcanzar el sosiego propio del animal. El yo tardomoderno, sin embargo, está totalmente aislado. Incluso las religiones en el sentido de técnicas tanáticas, que liberen al hombre del miedo a la muerte y generen una sensación de duración, ya no sirven. La desnarrativización general del mundo refuerza la sensación de fugacidad: hace la vida desnuda. El trabajo es en sí mismo una actividad desnuda. El trabajo desnudo es precisamente la actividad que corresponde a la vida desnuda. El mero trabajo y la nuda vida se condicionan de manera mutua. Ante la falta de una tanatotécnica narrativa nace la obligación de mantener esta nuda vida necesariamente sana. Ya lo dijo Nietzsche: tras la muerte de Dios, la salud se eleva a diosa. Si hubiera un horizonte de sentido que rebasara la vida desnuda, la salud no podría absolutizarse de ese modo.

Más desnuda que la vida del *Homo sacer* es la vida de hoy en día. Un *Homo sacer* es originalmente alguien que a causa de una infracción ha sido excluido de la sociedad. Se lo puede matar sin ser sancionado por ello. Conforme a Agamben, el *Homo sacer* representa una vida absolutamente aniquilable. Como *homini sacri* describe también a los judíos en un campo de concentración, a los presos en Guantánamo, a los sin papeles, a los asilados que en un espacio sin ley esperan su expulsión, o incluso a los enfermos que yacen vegetantes enchufados a los aparatos de la unidad de cuidados intensivos. Si la sociedad de rendimiento tardomoderna nos reduce a todos a la vida desnuda, entonces no solamente los seres humanos al margen de la sociedad o que se hallan en estado de excepción, es decir, no solo los excluidos, sino todos nosotros somos *homini sacri*, sin excepción. No obstante, estos *homini sacri* tienen la particularidad de no ser absolutamente aniquilables, sino absolutamente inaniquilables. Son, en cierto modo, «muertos vivientes». Aquí, el término *sacer* no tiene el significado de «maldito», sino de «sagrado». Ahora, la nuda vida es en sí misma sagrada, de modo que ha de conservarse a toda costa.

A la vida desnuda, convertida en algo totalmente efímero, se reacciona justo con mecanismos como la hiperactividad, la histeria del trabajo y la producción. También la actual aceleración está ligada a esa falta de ser. La sociedad de trabajo y rendimiento no es ninguna sociedad libre. Produce nuevas obligaciones. La dialéctica del amo y el esclavo no conduce finalmente a aquella sociedad en la que todo aquel que sea apto para el ocio es un ser libre, sino más bien a una sociedad de trabajo, en la que el amo mismo se ha convertido en esclavo del trabajo. En esta sociedad de obligación, cada cual lleva consigo su campo de trabajos forzados. Y lo particular de este último consiste en que allí se es prisionero y celador, víctima y verdugo, a la vez. Así, uno se explota a sí mismo, haciendo posible la explotación sin dominio. Los seres humanos que padecen depresión, TLP o SDO desarrollan síntomas patentes también en los llamados *Muselmänner* de los campos de concentración. Los *Muselmänner* son los reclusos debilitados y tábidos que, como las personas que sufren una depresión aguda, se han vuelto totalmente apáticos y ya no son capaces ni de diferenciar entre el frío físico y la orden del celador. No podemos sustraernos de la sospecha de que el *animal laborans* tardomoderno afectado por trastornos neuronales correspondería al *Muselmann*, con la diferencia, en todo caso, de que al contrario de este último está bien nutrido y no en pocas ocasiones obeso.

El último capítulo de *La condición humana* trata de la victoria del *animal laborans*. Frente a este desarrollo social, Arendt no ofrece ninguna alternativa efectiva. Tan solo constata con resignación que la capacidad de acción queda reservada ahora a pocos. Entonces, en las últimas páginas de su libro, hace un llamamiento directo al pensamiento. Según la filósofa, este es el menos perjudicado de aquel desarrollo social negativo. Aunque el futuro del mundo dependa del poder de los hombres en acción y no del pensamiento, este, no obstante, no será irrelevante para el futuro del ser humano, puesto que es la más activa de las actividades de la *vita activa* y supera a todas las demás en su puro ser activo. De esta manera, Hannah Arendt concluye su libro con las siguientes palabras:

> Quien tiene cualquier experiencia en esta materia sabe la razón que asistía a Catón cuando dijo: *Numquam se plus agere quam nihil cum ageret; numquam minus solum esse quam cum solus esset* («Nunca está nadie más activo que cuando no hace nada, nunca está menos solo que cuando está consigo mismo»).

Estas líneas finales parecen un recurso de emergencia. ¿Qué puede hacer este pensamiento puro, en el cual «la experiencia de ser activo» se pronuncia de la manera «más pura»? Pues precisamente el énfasis de ser activo tiene mucho en común con la hiperactividad y la histeria del sujeto de rendimiento tardomoderno. También la cita de Catón, con la que Hannah Arendt concluye su libro, parece un tanto impropia, puesto que a ella remite originariamente Cicerón en su tratado *De re publica*. En el pasaje citado por Arendt, Cicerón incita a sus lectores a apartarse del «foro» y del «jaleo de la multitud» y retirarse a la soledad de una vida contemplativa. Así, enseguida después de haber citado a Catón, Cicerón elogia propiamente la *vita contemplativa*. Según él, la vida contemplativa, y no la vida activa, convierte al hombre en aquello que en un principio debe ser. Arendt hace de ello un elogio de la *vita activa*. Asimismo, la soledad de la vida contemplativa de la que habla Catón no es compatible sin más con el «poder de los hombres en acción» que evoca Arendt una y otra vez. Por ende, al final de su tratado *La condición humana* Arendt habla en favor de la *vita contemplativa* sin pretenderlo. No se percata de que precisamente la pérdida de la capacidad contemplativa, que, y no en último término, está vinculada a la absolutización de la vida activa, es corresponsable de la histeria y el nerviosismo de la moderna sociedad activa.

PEDAGOGÍA DEL MIRAR

La *vita contemplativa* presupone una particular pedagogía del mirar. En *El ocaso de los ídolos*, Nietzsche formula tres tareas por las que se requieren educadores: hay que aprender a *mirar*, a *pensar* y a *hablar y escribir.* El objetivo de este aprender es, según Nietzsche, la «cultura superior». Aprender a *mirar* significa «acostumbrar el ojo a mirar con calma y con paciencia, a dejar que las cosas se acerquen al ojo», es decir, educar el ojo para una profunda y contemplativa atención, para una mirada larga y pausada. Este aprender a mirar constituye la «*primera* enseñanza preliminar para la espiritualidad». Según Nietzsche, uno tiene que aprender a «*no* responder *inmediatamente* a un impulso, sino a controlar los instintos que inhiben y ponen término a las cosas». La vileza y la infamia consisten en la «incapacidad de oponer resistencia a un impulso», de oponerle un «no». Reaccionar inmediatamente y a cada impulso es, al parecer de Nietzsche, en sí ya una enfermedad, un declive, un síntoma del agotamiento. Aquí, Nietzsche no formula otra cosa que la necesidad de la revitalización de la *vita contemplativa*. Esta no consiste en un abrir-se pasivo, que diga «sí» a todo lo que viene y a todo lo que sucede. Antes bien, opone resistencia a los impulsos atosigantes que se imponen. En lugar de exponer la mirada a merced de los impulsos externos, la guía con soberanía. En cuanto acción que dice «no» y es soberana, la vida contemplativa es más activa que cualquier hiperactividad, pues esta última representa precisamente un síntoma del agotamiento espiritual. La dialéctica del ser activo, que a Arendt se le escapa, consiste en que la hiperactiva agudización de la actividad transforma esta última en una hiperpasividad, estado en el cual uno sigue sin oponer resistencia a cualquier impulso e instinto. En lugar de llevar a la libertad, origina nuevas obligaciones. Es una ilusión pensar que cuanto más activo uno se vuelva, más libre es.

Sin esos «instintos que ponen término», la acción se dispersa convirtiéndose en un agitado e hiperactivo reaccionar y abreaccionar. La pura actividad solo prolonga lo ya existente. Una verdadera vuelta hacia lo otro requiere la negatividad de la interrupción. Tan solo a través de la negatividad propia del detenerse, el sujeto de acción es capaz de atravesar el espacio entero de la contingencia, el cual se sustrae de una mera actividad. Ciertamente, la vacilación no es una acción positiva, pero vacilar es indispensable para que la acción no decaiga al nivel del trabajo. Hoy en día vivimos en un mundo muy pobre en interrupciones, en entres y entre-tiempos. La aceleración suprime cualquier entre-tiempo. En el aforismo «El principal defecto de los hombres activos» escribe Nietzsche:

> A los activos les falta habitualmente una actividad superior [...] en este respecto son holgazanes. [...] Los activos ruedan, como rueda una piedra, conforme a la estupidez de la mecánica.[28]

Hay diferentes tipos de actividad. La actividad que sigue la estupidez de la mecánica es pobre en interrupciones. La máquina no es capaz de detenerse. A pesar de su enorme capacidad de cálculo, el ordenador es estúpido en cuanto le falta la capacidad de vacilación.

En el marco de la aceleración e hiperactividad generales, olvidamos, asimismo, lo que es la rabia. Esta tiene una temporalidad particular que no es compatible con la aceleración e hiperactividad generales, las cuales no toleran ninguna extensión dilatada del tiempo. El futuro se acorta con-

28 F. Nietzsche, *Humano, demasiado humano*, Madrid, Akal, 2007, p. 179.

virtiéndose en un presente prolongado. Le falta cualquier negatividad que permita la existencia de una mirada hacia lo otro. La rabia, en cambio, cuestiona el presente en cuanto tal. Requiere un detenerse en el presente que implica una interrupción. Por esa condición se diferencia del enfado. La dispersión general que caracteriza la sociedad actual no permite que se desplieguen el énfasis y tampoco la energía de la rabia. La rabia es una facultad capaz de interrumpir un estado y *posibilitar que comience uno nuevo*. Actualmente, cada vez más deja paso al enfado y al estado enervado, que no abren la posibilidad a ningún tipo de cambio decisivo. Así, uno se enfada incluso de cara a lo inevitable. El enfado es para la rabia lo que el temor para el miedo. A diferencia del temor, dirigido a un determinado objeto, el miedo se refiere al ser como tal. Comprende y quebranta *toda* la existencia *(Dasein)*. Tampoco la rabia se refiere a un determinado estado de cosas. Niega el todo en su conjunto. En ello consiste su energía de negatividad. Representa un estado de excepción. La creciente positivización del mundo hace que este se vuelva pobre en estados de excepción. Agamben pasa por alto esta creciente positividad. Frente a su diagnóstico, según el cual el estado de excepción se desborda, convirtiéndose en estado normal, la positivización general de la sociedad absorbe en la actualidad todo estado de excepción. De este modo, el estado normal es totalizado. Precisamente, la creciente positivización del mundo presta mucha atención a conceptos como «estado de excepción» o *Inmunitas*. Sin embargo, la atención de que estos gozan no es prueba de su actualidad, sino de su desaparición.

La progresiva positivización de la sociedad mitiga, asimismo, sentimientos como el miedo o la tristeza, que se basan en una negatividad, es decir, que son sentimientos negativos.[29] Si el *pensamiento* mismo fuera una «red de anticuerpos y de defensa inmunológica natural»,[30] entonces la ausencia de negatividad transformaría el pensamiento en un *ejercicio de cálculo*. Quizás el ordenador hace cálculos de manera más rápida que el cerebro humano y admite sin rechazo alguno gran cantidad de datos porque se halla libre de toda *otredad*. Es una máquina positiva. Precisamente por su egocentrismo autista, por su carencia de negatividad, el *idiot savant* obtiene resultados solo

29 Tanto el «miedo» de Heidegger como la «náusea» de Sartre son reacciones típicamente inmunológicas. El existencialismo es el discurso filosófico de mayor calado inmunológico. El énfasis existencial filosófico de la libertad debe su virulencia a la otredad o extrañeza. Precisamente estas dos obras principales de la filosofía del siglo XX indican que esta fue una era inmunológica [se refiere a *Ser y tiempo*, en el caso de Heidegger, y a *La náusea*, en el de Sartre *(N. de la T.)*].

30 J. Baudrillard, *La transparencia del mal. Ensayo sobre los fenómenos extremos*, Barcelona, Anagrama, 1991, p. 68.

realizables por una calculadora. En el marco de la positivización general del mundo, tanto el ser humano como la sociedad se transforman en una *máquina de rendimiento autista*. También puede decirse que justamente el esfuerzo exagerado por maximizar el rendimiento elimina la negatividad porque esta ralentiza el proceso de aceleración. Si el ser humano fuese un ser de negatividad, la total positivización del mundo tendría un efecto no inofensivo. Según Hegel, precisamente la negatividad mantiene la existencia llena de vida.

Hay dos formas de potencia. La positiva es la potencia de hacer algo. La negativa es, sin embargo, la potencia del no hacer, en términos de Nietzsche, de decir «no». Se diferencia, no obstante, de la mera impotencia, de la incapacidad de hacer algo. La impotencia consiste únicamente en ser lo contrario de la potencia positiva, que, a su vez, es positiva en la medida en que está vinculada a algo, pues hay algo que no logra hacer. La potencia negativa excede la positividad, que se halla sujeta a algo. Es una potencia del no hacer. Si se poseyera tan solo la potencia positiva de percibir algo, sin la potencia negativa de no percibir, la percepción estaría indefensa, expuesta a todos los impulsos e instintos atosigantes. Entonces, ninguna «espiritualidad» sería posible. Si solo se poseyera la potencia de hacer algo, pero ninguna potencia de no hacer, entonces se caería en una hiperactividad mortal. Si solamente se tuviera la potencia de pensar algo, el pensamiento se dispersaría en la hilera infinita de objetos. La *reflexión* sería imposible, porque la potencia positiva, el exceso de positividad, permite tan solo el «seguir pensando».

La negatividad del *«no-...» (nicht-zu)*[31] es, asimismo, un rasgo característico de la contemplación. En la meditación zen, por ejemplo, se intenta alcanzar la pura negatividad del «no-...», es decir, el vacío, liberándose del Algo atosigante que se impone. La negatividad del «no-...» constituye un proceso extremadamente activo, a saber, es todo menos pasividad. Es un ejercicio que consiste en alcanzar en sí mismo un punto de soberanía, en ser centro. Si solo se poseyera la potencia positiva, se estaría, por el contrario, expuesto al objeto de una manera del todo pasiva. La hiperactividad es, paradójicamente, una forma en extremo pasiva de actividad que ya no permite ninguna acción libre. Se basa en una absolutización unilateral de la potencia positiva.

31 En el idioma alemán, la fórmula sustantivada del *«nicht-zu»* precede a un verbo cualquiera en infinitivo cuando se quiere expresar su negación; es el equivalente del inglés *«not to»*. Puesto que en castellano la negación de un verbo no precisa de ninguna preposición como *«zu»* o *«to»*, en la presente traducción se han añadido en su lugar los puntos suspensivos. El significado del «no-...» estriba en la negación de cualquier verbo/acción, en definitiva, en la ausencia de toda actividad. *(N. de la T.)*

EL CASO BARTLEBY

El relato de Melville *Bartleby*, a menudo objeto de interpretaciones teológicas o metafísicas,[32] admite también una lectura patológica. Esta «historia de Wall Street» refiere un mundo de trabajo inhumano, de habitantes reducidos a *animal laborans*. Se describe con detalle la atmósfera lúgubre y hostil del bufete, envuelto en una cadena compacta de rascacielos. A menos de tres metros de distancia de las ventanas sobresale «un majestuoso muro de ladrillo, negro por los años y por la sombra sempiterna». Al despacho, que se parece a una cisterna, le falta «vida» *(deficient in what landscape painters call «life»)*. La melancolía y la aflicción, temas recurrentes del relato, configuran la tonalidad fundamental. Todos los asistentes del abogado su-

32 Así, escribe Deleuze: «Catatónico y anoréxico, Bartleby no es el enfermo, sino el médico de una América enferma, el *Medicine-man*, el nuevo Cristo o el hermano de todos nosotros». Cf. G. Deleuze, «Bartleby o la fórmula», en J.L. Pardo *et al.*, *Preferiría no hacerlo*, Valencia, Pre-Textos, 2009.

fren trastornos neuróticos. Turkey, por ejemplo, se ve arrastrado por una «extraña temeridad fogosa, aturullada y desenfrenada de actividad» *(a strange, inflammed, flurried, flighty recklessness of activity).* Al ayudante Nippers, marcado por una ambición exagerada, lo atormenta un psicosomático trastorno digestivo. Durante el trabajo, rechina los dientes y constantemente suelta sapos y culebras. Con su irritabilidad e hiperactividad, estos dos forman el polo opuesto a Bartleby, que enmudece y se queda petrificado. Bartleby desarrolla síntomas que serían característicos de la neurastenia. Visto así, su fórmula *«I would prefer not to»* («Preferiría no hacerlo») no expresa ni la potencia negativa del «no-...» *(nicht-zu)* y tampoco el instinto que inhibe y que sería esencial para la «espiritualidad». Antes bien, representa la falta de iniciativa y apatía que acaban con la vida de Bartleby.

La sociedad que describe Melville es todavía una sociedad disciplinaria. Así, en todo el relato abundan los muros y paredes, los elementos de una arquitectura propia de dicha sociedad. Pues *Bartleby* es una «historia de *Wall* Street». El muro *(wall)* es una de las palabras más repetidas en el relato. A menudo, se habla de *dead wall*: *«The next day I noticed that Bartleby did nothing but stand at his window in his dead wall revery».*[33] El mismo Bart-

33 «Al día siguiente noté que Bartleby no hacía más que mirar

leby trabaja detrás de un tabique y mira ausente hacia la *dead brick wall*. El muro está asociado siempre a la muerte.[34] Como representante de la sociedad disciplinaria aparece también, no en último término, el motivo —recurrente en Melville— de la prisión con sus muros monumentales, que llama *Tombs*. Ahí, toda vida está extinguida. También Bartleby aterriza en las *Tombs* y muere en total aislamiento y soledad. Él representa aún un sujeto de obediencia. Todavía no desarrolla los síntomas de la depresión característica de la sociedad de rendimiento tardomoderna. El sentimiento de insuficiencia e inferioridad o el miedo al fracaso no forman parte de la vida emocional de Bartleby. No conoce ni los reproches a sí mismo ni la autoagresión. No se ve confrontado con el imperativo de ser él mismo, signo característico de la sociedad de rendimiento tardomoderna. Bartebly no naufraga ante el proyecto de ser yo. La monótona transcripción, única actividad que ha de llevar a cabo, no le permite ninguna libertad de acción que hiciera necesario o posible

---

por la ventana, en su sueño frente a la pared», traducción citada de *Bartleby, el escribiente*, traducción y prólogo de J.L. Borges, Buenos Aires, Emecé, 1944. Las traducciones de todos los fragmentos de la obra mencionados en el texto se citan según esta edición. *(N. del E.)*

34 En las traducciones al alemán (y al castellano) *Brandmauer* («cortafuego») o *blinde Ziegelmauer* («muro de ladrillo») se pierde totalmente el matiz de muerte.

desarrollar iniciativa propia. Lo que a Bartleby lo enferma no es el exceso de positividad o posibilidad; no lleva el lastre del imperativo tardomoderno de dejar que comience el yo *mismo*. Transcribir es precisamente una actividad que no permite ninguna iniciativa. Bartleby, que vive aún en la sociedad de convenciones e instituciones, no conoce el superagotamiento del yo que conduce a un depresivo *cansancio-del-yo*.

La interpretación ontoteológica de Agamben sobre Bartebly, que pasa por alto todo aspecto patológico, fracasa ya ante los hechos narrativos. Tampoco tiene en cuenta el giro estructural psíquico de la actualidad. Agamben eleva a Bartleby, de manera discutible, a una figura metafísica de la pura potencia:

> A esta constelación filosófica pertenece Bartleby, el escriba. Como escriba que ha dejado de escribir es la figura extrema de la nada de la que procede toda creación y, al mismo tiempo, la más implacable reivindicación de esta nada como potencia pura y absoluta. El escribiente se ha convertido en la tablilla de escribir, ya no es nada más que la hoja de papel en blanco.[35]

35 Cf. G. Agamben, «Bartleby o De la contingencia», en J. L. Pardo *et al.*, *Preferiría no hacerlo*, *op. cit.*

Bartleby personifica, por tanto, el «espíritu», el «ser de pura potencia», al que remite la tablilla en blanco, sobre la que todavía no hay nada escrito.[36]

Bartleby es una figura sin referencia a sí mismo o a otra cosa. Carece de mundo, es ausente y apático. Si fuera «una hoja en blanco», se debería a que está vacío de toda referencia de mundo y sentido. Ya los ojos turbios y cansados de Bartleby *(dim eyes)* hablan en contra de la pureza de la potencia divina, que él presuntamente personifica. Tampoco resulta muy convincente la afirmación de Agamben según la cual Bartleby, debido a su obstinada negación a escribir, persevera en la potencia del *poder*-escribir, y que su radical renuncia al querer denota una *potentia absoluta*. La negación de Bartleby es, por tanto, notificadora, *kerigmática*. Él personifica el puro «ser sin predicado alguno». Agamben hace de Bartleby un mensajero angelical, un ángel de anunciación, que, sin embargo, «no afirma nada de nada».[37] Pero Agamben pasa por alto que Bartleby rechaza cualquier recado de mensajería *(errand)*. Así, Bartleby se niega rotundamente a ir a Correos: *«"Bartleby", said I, "Ginger Nut is away; just step round to the Post Office, won't you?" [...] "I would prefer not to"»*.[38] Como es sa-

36 *Ibíd.*

37 *Ibíd.*

38 «Bartleby —le dije—. Ginger Nut ha salido; cruce al Correo, ¿quiere? [...] —Preferiría no hacerlo».

bido, la historia termina con el curioso epílogo de que Bartleby ha trabajado temporalmente de empleado en el departamento de envío de cartas «muertas», es decir, cartas para destinatarios ignotos *(Dead Letter Office)*: *«Dead letters! does is not sound like dead men? Conceive a man by nature and misfortune prone to a pallid hopelessness, can any business seem more fitted to heighten it than that of continually handling these dead letters and assorting them for the flames?»*.[39] Lleno de dudas exclama el abogado: *«On errands of life, these letters speed to death»*.[40] La existencia de Bartleby es un negativo ser para la muerte. Con esta negatividad no va conforme la interpretación ontoteológica de Agamben, que eleva a Bartleby a anunciador de una segunda creación, de una «des-creación», que disuelve el límite entre lo que ha sido y lo que no ha sido, entre el ser y la nada.

Si bien es verdad que Melville deja brotar un diminuto germen de vida en medio de las *Tombs*, ante la masiva pérdida de esperanza y la arrolladora presencia de la muerte, el pequeño trozo de césped encarcelado *(imprisoned turf)* pone de relieve

39 «¡Cartas muertas!, ¿no se parece a hombres muertos? Conciban un hombre por naturaleza y por desdicha propenso a una pálida desesperanza. ¿Qué ejercicio puede aumentar esa desesperanza como el de manejar continuamente esas cartas muertas y clasificarlas para las llamas?»

40 «Con mensajes de vida, estas cartas se apresuran hacia la muerte.»

aún más la negatividad del imperio de la muerte. Completamente impotentes parecen también las palabras alentadoras que el abogado dirige al Bartleby encarcelado: *«Nothing reproachful attaches to you by being here. And see, it is not so sad a place as one might think. Look, there is the sky and here is the grass»*.[41] A ello responde Bartleby sin inmutarse: *«I know where I am»*.[42] Agamben interpreta tanto el cielo como la hierba en cuanto signos mesiánicos. El pequeño trozo de césped como único signo de vida en medio del imperio de la muerte acentúa tan solo el vacío sin esperanza. *«On errands of life, these letters speed to death»* es el mensaje central del relato. Todos los esfuerzos por la vida conducen a la muerte.

Un ser más falto de ilusión es, en cambio, el artista del hambre de Kafka. Su muerte, de la que nadie se percata, significa un gran alivio para todos los implicados, un restablecimiento «hasta para el más obtuso de los sentidos». Su muerte abre paso a la llegada de la pantera joven, que personifica la plácida alegría de vivir:

> La comida que le gustaba traíansela sin largas cavilaciones sus guardianes. Ni siquiera parecía año-

41 «Nada reprochable lo ha traído aquí. Vea, no es un lugar tan triste como podría suponerse. Mire, ahí está el cielo, y aquí el césped.»

42 «Sé dónde estoy.»

> rar la libertad. Aquel noble cuerpo, provisto de todo lo necesario para desgarrar lo que se le pusiera por delante, parecía llevar consigo la propia libertad; parecía estar escondida en cualquier rincón de su dentadura. Y la alegría de vivir brotaba con tan fuerte ardor de sus fauces que a los espectadores no les era fácil poder hacerle frente. Pero se sobreponían a su temor, se apretaban contra la jaula y en modo alguno querían apartarse de allí.[43]

Al artista del hambre, sin embargo, tan solo la negatividad de la negación le da la sensación de libertad, una libertad que es igual de ilusoria que aquella que la pantera guarda «en cualquier rincón de su dentadura». A Bartleby se le une Mr. Cutlets («el señor Chuleta»), que tiene aspecto de un trozo de carne. Mr. Cutlets elogia exaltado el lugar e intenta seducir a Bartleby para que coma: *«Hope you find it pleasant here, sir; — spacious grounds — cool apartments, sir — hope you'll stay with us some time — try to make it agreeable. May Mrs. Cutlets and I have the pleasure of your company to dinner, sir, in Mrs. Cutlets' private room?»*.[44] Casi irónicas suenan

43 F. KAFKA, «Un artista del hambre», en *La metamorfosis y otros cuentos*, Buenos Aires, Losada, 1972.

44 «Espero que esto le resulte agradable, señor; lindo césped, departamentos frescos, espero que pase un tiempo con nosotros, trataremos de hacérselo agradable. ¿Qué quiere cenar hoy?» [En el origi-

las palabras del abogado con las que, tras la muerte de Bartleby, responde al sorprendido Mr. Cutlets: *«"Eh! — He's asleep, aint he?" "With kings and counsellors", murmured I».*[45] El relato no se abre a la esperanza mesiánica. Con la muerte de Bartleby cae precisamente «la última columna del templo desmoronado». Él se hunde como un «barco naufragado en medio del Atlántico». La fórmula de Bartleby *«I would prefer not to»* se sustrae de toda interpretación cristológico-mesiánica. Esta «historia de Wall Street» no es ninguna historia de la «des-creación», sino una historia del agotamiento. La exclamación con la que concluye el relato es al mismo tiempo lamento y acusación: «¡Oh, Bartleby, oh, Humanidad!».

---

nal, la última pregunta reza literalmente: «¿Nos concede a la señora Cutlets y a mí el placer de cenar con nosotros en la habitación privada de la señora Cutlets?» *(N. de la T.)*]

45 «¿Eh?, está dormido, ¿verdad? —Con reyes y consejeros —dije yo.»

LA SOCIEDAD DEL CANSANCIO

El cansancio tiene un gran corazón
Maurice Blanchot

La sociedad de rendimiento, como sociedad activa, está convirtiéndose paulatinamente en una sociedad de dopaje. Entretanto, el *Neuro-Enhancement* reemplaza a la expresión negativa «dopaje cerebral». El dopaje en cierto modo hace posible un rendimiento sin rendimiento. Mientras tanto, incluso científicos serios argumentan que es prácticamente una irresponsabilidad no hacer uso de tales sustancias. Un cirujano que, con ayuda de nootrópicos, opere mucho más concentrado, cometerá menos errores y salvará más vidas. Incluso un uso general de drogas inteligentes, según ellos, no supone ningún problema. Solo hay que establecer cierta equidad, de manera que estén a disposición de todos. Si el dopaje estuviera permitido también en el deporte, este se convertiría en una competición farmacéutica. Sin embargo, la mera prohibición no impide la tendencia de que ahora no solo el cuerpo, sino el ser humano en su conjunto se convierta en una «máquina de rendimiento», cuyo objetivo consiste en el funcionamiento sin alteraciones y en la maximización del rendimiento. El dopaje solo es una *consecuencia* de este desarrollo, en el que la *vitalidad* misma, un fenómeno altamente complejo, se reduce a la mera función y al rendimiento vitales. El reverso de este proceso estriba en que la sociedad de rendimiento y actividad produce un cansancio y un agotamiento excesivos. Estos estados psíquicos son precisamente característicos de un mundo que es pobre en negatividad y que, en su lugar, está dominado por un exceso de positividad. No se trata de reacciones inmunológicas que requieran una negatividad de lo otro inmunológico. Antes bien, son fruto de una «sobreabundancia» de positividad. El exceso del aumento de rendimiento provoca el infarto del alma.

El cansancio de la sociedad de rendimiento es un cansancio a solas *(Alleinmüdigkeit)*, que aísla y divide. Corresponde a lo que Handke, en el *Ensayo sobre el cansancio*,[46] denomina el «cansancio que separa»: «los dos estábamos cayendo ya, cada uno por su lado; cada uno a su cansancio más propio y particular, no al nuestro, sino al mío de aquí y al tuyo de allá». Este cansancio que separa

46 P. HANDKE, *Ensayo sobre el casancio*, Madrid, Alianza, 2006.

atormenta «con la incapacidad de mirar y con la mudez». Solamente el yo llena por completo el campo visual:

> No, no le hubiera podido decir: «Estoy cansado de ti», ni siquiera un simple «¡Cansado!» (lo que como grito común, tal vez nos hubiera podido liberar de nuestros infiernos particulares): estos cansancios nos quemaban la capacidad de hablar, el alma.

Estos cansancios son violencia, porque destruyen toda comunidad, toda cercanía, incluso el mismo lenguaje: «Aquel tipo de cansancio —sin habla, como tenía que seguir siendo— forzaba a la violencia. Esta tal vez se manifestaba solo en la mirada que deformaba al otro».

Handke contrapone el cansancio elocuente, capaz de mirar y reconciliar, al cansancio sin habla, sin mirada y que separa. El cansancio como un «Más del yo aminorado» abre un *entre*, al aflojar el constreñimiento del yo. No solamente veo lo otro, sino que también lo soy, y «lo otro es al mismo tiempo yo». El entre es un espacio de amistad como indiferencia, donde «nadie ni nada "domina" o siquiera "tiene preponderancia" sobre los demás». Cuando el yo se aminora, la gravedad del ser se desplaza del yo al mundo. Se trata de un «cansancio que da confianza en el mundo», mientras que el cansancio del yo en cuanto cansancio a solas es un cansancio sin mundo, que aniquila al mundo. Este «abre» el yo y lo convierte en algo «permeable» para el mundo. Restaura la «dualidad», completamente arruinada por el cansancio a solas. Uno ve y es visto. Uno toca y es tocado: «Un cansancio en cuanto volverse accesible, es más, como consumación del hecho de ser tocado y poder tocar a su vez». Es ese cansancio que hace posible que uno se detenga y se demore. La aminoración del yo se manifiesta como un aumento de mundo: «El cansancio era mi amigo. Yo volvía a estar ahí, en el mundo».

Handke recoge en este «cansancio fundamental» todas esas formas de la existencia y del estar-con que, en el transcurso de la absolutización del ser activo desaparecen por completo. El «cansancio fundamental» es cualquier cosa menos un estado de agotamiento en el que uno se sienta incapaz de hacer algo. Más bien, se considera una facultad especial. El cansancio fundamental *inspira*. Deja que surja el *espíritu*. La «inspiración del cansancio» se refiere al «no-hacer»: «¡Una oda de Píndaro a un cansado en lugar de a un vencedor! A la comunidad de Pentecostés recibiendo al Espíritu Santo —a todos los apóstoles— me la imagino cansada. La inspiración del cansado dice menos lo que hay que hacer que lo que hay que dejar». El cansancio permite al hombre un sosiego especial, un no-hacer sosegado. No consiste en un estado en que se agoten todos los sentidos. En él despierta, más bien, una visibilidad especial. Así, Handke habla de un «cansancio despierto». Permite el acceso a una atención totalmente diferente, de formas lentas y duraderas que se sustraen de la rápida y breve hiperatención. «El cansancio articulaba [...] —la maraña habitual, gracias al ritmo del cansancio, en beneficio de la forma— forma, hasta donde alcanzaban los ojos.» Cada *forma* es lenta. Cada *forma* es un rodeo. La economía de la eficiencia y de la aceleración la conducen a la desaparición. Handke eleva el cansancio profundo incluso a una forma de salvación, esto es, a una forma de rejuvenecimiento. El cansancio devuelve el asombro al mundo. «Ulises, cansado, ganó el amor de Nausícaa. El cansancio te rejuvenece, te da una juventud que nunca has tenido. [...] Todo en la calma del cansancio se hace sorprendente.»

A la mano que trabaja y coge Handke le contrapone la mano juguetona, que ya no coge de manera decidida: «y todas las noches, aquí, en Linares he estado contemplando cómo se iban cansando los muchachos [...]; ningún afán ya, las manos no cogen nada, tan solo juegan». El cansancio profundo afloja la atadura de la identidad. Las cosas brillan, relucen y vibran en sus cantos. Se vuelven más imprecisas, más permeables y acaso pierden algo en determinación. Esta especial indiferencia les concede un *aura de la cordialidad*. Se suprime la rígida delimitación que divide a unos de otros: «La cosa en este cansancio fundamental no aparece nunca sola para sí, sino siempre junto con otras, y aunque solo pocas cosas, al fin y al cabo todo está junto». Este cansancio funda una profunda cordialidad y hace posible la concepción de una comunidad que no precise pertenencia ni parentesco. Los hombres y las cosas se muestran unidos por un cordial «y». Handke ve esta colectividad singular, esta colectividad de singularidades modelada en un bodegón holandés: «Tengo para el "todo en uno" una imagen: aquellas naturalezas muertas, generalmente holandesas y del siglo XVII, en las que aparecen flores: en estas, de forma que parecen seres vivos, hay un escarabajo, aquí un caracol, allí una abeja, allí una mariposa y, aunque quizás ninguno de ellos tiene idea de la presencia del otro, en este momento, están todos juntos». El cansancio de Handke no es ningún cansancio del yo, no es ningún cansancio del yo agotado, sino que lo llama un «cansancio del nosotros». En este caso, yo no estoy cansado de ti, sino, como dice Handke, «Te estoy cansado». «De este modo estábamos sentados —recuerdo que siempre fuera, al sol de las primeras horas de la tarde— y, hablando o callados, disfrutábamos del cansancio común. [...] Una nube de cansancio, un cansancio etéreo nos unía entonces.»

El cansancio del agotamiento es un cansancio de la potencia positiva. Incapacita para hacer *algo.* El cansancio que inspira es un *cansancio de la potencia negativa*, esto es, del «no-...» *(nicht-zu).* También el Sabbath, que originariamente significa *finalizar con*, es un día del «no-...», un día libre de todo para-qué *(um-zu)*; dicho con Heidegger, de todo cuidado. Se trata de un *entre-tiempo.* Dios, después de la creación, declaró el séptimo día sagrado. Sagrado no es, por tanto, el día del *para que*, sino el del «no-...», un día en el que se hace posible el *uso* de lo *inutilizable.* Es el día del cansancio. El *entretiempo* es un tiempo sin trabajo, un *tiempo de juego*, que se diferencia asimismo del tiempo de Heidegger, que esencialmente es un tiempo de cuidado y trabajo. Handke describe este entretiempo como un tiempo de paz. El cansancio desarma. En la larga y pausada mirada del cansado, la determinación deja paso a un sosiego. El entretiempo es un tiempo de la indiferencia como cordialidad:

> Estoy hablando aquí del cansancio en la paz, en el intervalo. Y en aquellas horas había paz [...]. Y lo sorprendente es que allí mi cansancio parecía contribuir a aquella paz temporal, ¿amansando, suavizando con su mirada cualquier intento de gesto de violencia, de pelea o siquiera de actuación poco cordial?

Handke esboza una *inmanente religión del cansancio*. El «cansancio fundamental» suprime el aislamiento egológico y funda una comunidad que no necesita ningún parentesco. En ella despierta un *compás* especial, que conduce a una *concordancia*, una cercanía, una vecindad sin necesidad de vínculos familiares ni funcionales: «Un cierto cansado, a modo de Otro Orfeo en torno al cual se unen los animales más feroces y al final pueden estar cansados con él. El cansancio les da el compás a los solitarios distraídos».[47] Aquella «comunidad de Pentecostés» que inspira el «no-hacer» se opone a la sociedad activa. Handke se la imagina «cansada sin excepción». Consiste en una sociedad de los cansados en sentido especial. Si «la comunidad de Pentecostés» fuera sinónimo de la sociedad futura, entonces la sociedad venidera podría denominarse *sociedad del cansancio*.

47 Tanto la ética de Kant como la de Lévinas están inmunológicamente estructuradas. Así, el sujeto moral de Kant se ejercita en la tolerancia, que representa una categoría genuinamente inmunológica. Pues lo que se tolera es la otredad. La ética de Kant es una ética de la negatividad, que Hegel lleva a la culminación con su teoría del reconocimiento. Por el contrario, Lévinas lleva al punto cero la tolerancia inmunitaria del yo. De esta manera, el yo queda «expuesto» a aquella «violencia» que parte de lo otro y cuestiona por completo al yo. El énfasis de lo totalmente otro concede a la ética de Lévinas un carácter inmunológico.

APÉNDICE

LA SOCIEDAD DEL *BURNOUT*

El aparato psíquico del que habla Freud es un aparato represivo lleno de imperativos y prohibiciones. Está estructurado como una sociedad disciplinaria, con sus hospitales, manicomios, cárceles, cuarteles y fábricas. Por eso, el psicoanálisis de Freud solo funciona en una sociedad represiva, cuya organización se basa en la negatividad de las prohibiciones. Sin embargo, la sociedad de hoy no es primariamente una sociedad disciplinaria, sino una sociedad del rendimiento que cada vez se desembaraza más de la negatividad de las prohibiciones y los mandatos y se hace pasar por sociedad de la libertad.

El verbo modal que define la sociedad del rendimiento no es el *deber* de Freud, sino el *poder*. Esta transformación social conlleva una reestructuración anímica interior. El sujeto de la modernidad tardía que está obligado a aportar rendimientos tiene una psicología totalmente distinta que el sujeto obligado a obedecer al que se aplica el psicoanálisis de Freud. El aparato psíquico del que habla Freud está regido por la negación y la represión y por el miedo a la transgresión, de modo que el yo es «la verdadera residencia de la angustia».[48] Eso ya no se puede decir del típico sujeto de la modernidad tardía que aporta rendimientos, que es un sujeto de la afirmación. Si lo inconsciente estuviera forzosamente vinculado con la negatividad de la negación y la represión, entonces el sujeto neoliberal que aporta rendimientos no tendría inconsciente: sería un yo posfreudiano. Lo inconsciente freudiano no es una forma atemporal, sino que es un producto de la sociedad disciplinaria y represiva de la que ahora nos vamos distanciando cada vez más.

El trabajo que realiza el yo freudiano consiste sobre todo en cumplir con un deber. En eso se parece al sujeto kantiano, que se ve obligado a obedecer. En Kant, la conciencia asume la posición del «yo superpuesto». También su sujeto moral está sometido a un «poder»:

> Todo hombre tiene conciencia moral y un juez interno que lo observa, lo amenaza y lo mantiene en el respeto (respeto unido al miedo), y este poder, que vela en él por las leyes, no es algo que él

48 S. Freud, *El yo y el ello,* Madrid, Alianza, 2009, p. 49.

> se forja (arbitrariamente), sino que está incorporado a su ser.[49]

Igual que el sujeto freudiano, también el sujeto kantiano está en sí mismo escindido. Actúa por mandato de *otro*, que, sin embargo, es parte de él mismo:

> Esta disposición originaria, intelectual y moral (porque es una representación del poder) llamada conciencia moral, tiene en sí de peculiar que, aunque esta es su tarea es un quehacer del hombre consigo mismo, sin embargo, este se ve forzado por su razón a desempeñarla como si fuera por orden de otra persona.[50]

A causa de esta escisión de la persona, Kant habla del «doble sí mismo» o de la «personalidad doble».[51] El sujeto moral es, a la vez, reo y juez.

El sujeto obligado a obedecer no es un sujeto del placer, sino un sujeto del deber. De este modo, también el sujeto kantiano desempeña un trabajo obligado reprimiendo sus «inclinaciones». Al hacer eso, el Dios kantiano, ese «ser moral que tiene poder sobre todo», aparece no solo como instancia de castigo y condena, sino también —y este es un

49 I. Kant, *La metafísica de las costumbres*, Madrid, Alianza, 2008, p. 30.
50 Ibíd.
51 Ibíd., p. 304.

aspecto muy importante en el que rara vez se repara— como instancia de *gratificación*. Aunque en aras de la virtud el sujeto moral en cuanto sujeto del deber reprime todas las inclinaciones placenteras, el Dios moral premia con la bienaventuranza el trabajo que aquel ha realizado bajo dolores. La bienaventuranza queda «distribuida [...] en proporción exacta a la medida de la moralidad».[52] El rendimiento moral merece la pena. El sujeto moral, que a cambio de la moralidad acepta también el dolor, tiene la certeza de la gratificación. Mantiene una relación muy estrecha con el otro en cuanto que instancia de gratificación. Aquí no hay riesgo de crisis de gratificación, pues Dios no engaña y se puede confiar en Él.

El sujeto de la modernidad tardía al que se le exigen rendimientos no desempeña ningún trabajo obligado. Sus máximas no son la obediencia, la ley ni el cumplimiento del deber, sino la libertad y la voluntariedad. Lo que más espera del trabajo es una ganancia en términos de placer. Tampoco actúa por mandato ajeno. Más bien se escucha sobre todo a sí mismo. Al fin y al cabo, tiene que ser empresario de sí mismo. Así es como se desembaraza de la negatividad del otro imperante. Pero este liberarse del otro no es solo

52 I. Kant, *Crítica de la razón práctica*, Buenos Aires, La Página, 2003, p. 110.

emancipador y liberador. La fatídica dialéctica de la libertad hace que tal liberación se trueque en nuevas coerciones.

La falta de relación con el otro desencadena sobre todo una crisis de gratificación. La gratificación como reconocimiento presupone la instancia del otro o de un tercero. También Richard Sennett explica la crisis de gratificación en función de una perturbación narcisista y de la falta de relación con el otro:

> Como desorden del carácter, el narcisismo es el opuesto mismo del vigoroso amor a sí mismo. La autoabsorción no produce gratificación, provoca dolor al yo; eliminar la línea entre el yo y el otro significa que nada nuevo, nada «otro», puede entrar jamás en el yo; es devorado y transformado hasta que uno cree que se puede ver a uno mismo en el otro, y entonces se vuelve insignificante. [...] El narcisista no se muestra ávido de experiencias, está ávido de Experiencia. Buscando siempre una expresión o un reflejo de sí mismo en la Experiencia. [...] Uno se ahoga en el yo.[53]

En la experiencia uno se encuentra con el *otro*. Las experiencias son transformadoras, es más, al-

53 R. Sennett, *El declive del hombre público*, Barcelona, Península, 1978, p. 401.

teradoras. Las vivencias, por el contrario, amplían el yo, extendiéndolo sobre el otro, sobre el mundo: son comparativas por *igualadoras*. En el amor a sí mismo, la frontera con el otro está contorneada con claridad. En el narcisismo, por el contrario, se desvanece: el yo se difunde y se vuelve difuso.

Sennett tiene razón al relacionar las perturbaciones psíquicas del individuo actual con el narcisismo, pero saca conclusiones erróneas:

> La escalada continua de expectativas de modo que la conducta actual nunca se satisfaga constituye una carencia de «fin». Se evita el sentido de haber alcanzado un objetivo porque entonces las experiencias serían objetivadas; tendrían una forma, un perfil, y así existirían independientemente de uno mismo.[54]

Pero en realidad es otra cosa lo que sucede. La sensación de haber alcanzado un objetivo no se «evita» *adrede*, sino que, más bien, nunca se produce el sentimiento de haber alcanzado un objetivo definitivo. No es que el sujeto narcisista no quiera concluir nada, sino que no es capaz de hacerlo. El imperativo de rendimiento lo fuerza a aportar cada vez más rendimientos. De este modo nunca se alcanza un punto de reposo gratificante. El su-

54 Ibíd., p. 414.

jeto narcisista vive con una permanente sensación de carencia y de culpa. Como en último término compite contra sí mismo, trata de superarse hasta que se derrumba. Sufre un colapso psíquico que se designa como *burnout,* o «síndrome del trabajador quemado». El sujeto que está obligado a rendir se mata a base de autorrealizarse. Aquí coinciden la autorrealización y la autodestrucción.

La histeria es una enfermedad psíquica típica de la sociedad disciplinaria, que es en la que se estableció también el psicoanálisis. Presupone esa negatividad de la represión que también conduce a la formación del inconsciente. Los representantes de las pulsiones que han sido desplazados al inconsciente se manifiestan por medio de la «conversión» como síntomas corporales que marcan inequívocamente a una persona. Los histéricos muestran una forma característica. Por eso la histeria permite una morfología que la diferencia de la depresión.

Según Freud, el «carácter» es un fenómeno de la negatividad, pues no se configura sin la censura en el aparato psíquico. Por eso, Freud lo define como «un residuo de las cargas de objeto abandonadas».[55] Cuando el yo se entera de los revestimientos de objetos que se producen en el ello, los rechaza mediante el proceso de la represión. El

55 S. Freud, *op. cit.*, p. 22.

carácter contiene la historia de la represión. Refleja una determinada relación del yo con el ello y con el «yo superpuesto». Mientras que el histérico muestra una morfología característica, el depresivo carece de forma; es más, es amorfo. Es un hombre sin carácter.

Carl Schmitt comenta que es una «señal de escisión interior [...] tener más de un único verdadero enemigo». Eso se puede decir también del amigo. Para Schmitt, sería un signo de falta de carácter y de forma tener más de un único amigo. La multitud de amigos en Facebook sería para Schmitt un indicativo de esa falta de carácter y de forma típica del yo de la modernidad tardía. Diciéndolo positivamente, a este hombre sin carácter lo llamamos «hombre flexible», que es capaz de asumir toda figura, todo papel, toda función. Esta falta de forma o esta flexibilidad produce una elevada eficacia económica.

Lo inconsciente y la represión «se correlacionan en gran medida», como remarca Freud. Por el contrario, el proceso de represión y negación no interviene en las enfermedades psíquicas de hoy, como la depresión, el *burnout* o «síndrome del trabajador quemado» y el síndrome de déficit de atención y de hiperactividad. Estas enfermedades remiten más bien a un exceso de positividad, es decir, no a la negación, sino más bien a la incapacidad de decir que no; no a que a uno no le esté permitido hacer algo, sino a que está en condiciones de hacerlo todo. Por eso el psicoanálisis no ofrece ningún acceso a esas enfermedades. La depresión no es consecuencia de una represión que venga ejercida por tales instancias dominadoras como el «yo superpuesto». En el depresivo tampoco se produce aquella «transferencia» que indicaría de forma indirecta los contenidos psíquicos reprimidos.

La actual sociedad del rendimiento, con sus ideas de libertad y de desregulación, elimina en masa barreras y prohibiciones, que son las que constituyen la sociedad disciplinaria. La consecuencia es una deslimitación total y una falta completa de barreras; es más, una promiscuidad generalizada. Así es como hoy ya no aparecen aquellas alucinaciones paranoicas que tenía Daniel Paul Schreber y que Freud explicó en función de su homosexualidad reprimida. El «caso Schreber» es un típico caso de aquella sociedad disciplinaria del siglo XIX en la que también imperaba una prohibición estricta de la homosexualidad; es más, una prohibición estricta del placer.

Lo inconsciente ya no interviene en la depresión. Pero Alain Ehrenberg se aferra a ello:

> La historia de la depresión nos ha ayudado a comprender esta transformación social y espiritual. Su incremento imparable atraviesa las dos

> dimensiones de cambios que ha experimentado el sujeto de la primera mitad del siglo XX: la liberación psíquica y la inseguridad de la identidad, la iniciativa personal y la incapacidad para actuar. Estas dos dimensiones ponen de relieve algunos riesgos antropológicos, como que el conflicto neurótico caiga en la abulia depresiva de la psiquiatría. El individuo que de ahí surge se enfrenta a los mensajes de desconocidos, que no pueden ser controlados por esta parte irreductible que en Occidente se ha dado en llamar inconsciente.[56]

Según Ehrenberg, la depresión simboliza lo «incontrolable», lo «irreductible».[57] Se explica en función del «choque entre las oportunidades infinitas y lo incontrolable».[58] Por consiguiente, la depresión sería el fracaso del sujeto que aspira a tener iniciativas por culpa de lo ingobernable. Pero lo ingobernable, lo irreductible o lo desconocido son, igual que lo inconsciente, figuras de la negatividad que no son constitutivas de la so-

56 A. Ehrenberg, *op. cit.*, p. 273.

57 Ibíd., p. 277: «En la época de las oportunidades infinitas, la depresión simboliza lo incontrolable. Podemos manipular nuestra naturaleza corporal y espiritual, podemos mantener nuestras fronteras con distintos medios, pero esta manipulación no nos libera de nada. Los impulsos y las libertades cambian, pero lo "irreductible" no disminuye».

58 Ibíd., p. 275.

ciedad del rendimiento dominada por el exceso de positividad.

Freud concibe la melancolía como la relación destructiva con un elemento distinto que se ha interiorizado, convirtiéndolo en parte de sí mismo. Con ello, los conflictos que originalmente eran conflictos con otros se interiorizan y se reconfiguran en una relación conflictiva consigo mismo que conduce al empobrecimiento del yo y a la autoagresividad. A diferencia de ello, la enfermedad depresiva del sujeto actual que se ve obligado a aportar rendimientos no viene precedida de ninguna relación conflictiva y ambivalente con un factor distinto que se hubiera perdido. Esta enfermedad no implica ninguna dimensión de alteridad. Lo que causa la depresión —la cual, a su vez, desemboca a menudo en el *burnout* o «síndrome del trabajador quemado»— es más bien una relación excesivamente tensa, sobreexcitada y narcisista consigo mismo que acaba asumiendo rasgos destructivos. El sujeto que se ve forzado a aportar rendimientos y que termina quedando extenuado y siendo depresivo, por así decirlo, acaba desazonado de sí mismo. Se siente cansado, hastiado de sí y harto de pelear contra sí mismo. Totalmente incapaz de salir de sí mismo, de estar afuera, de confiar en el otro y en el mundo, se obceca consigo mismo, lo cual conduce, paradójicamente, a la horadación y al vaciamiento del yo. Se encierra en una rueda de hámster que gira cada vez más rápido sobre sí misma.

También los nuevos medios y las nuevas técnicas de comunicación desmantelan cada vez más la relación con lo distinto. El mundo digital es pobre en alteridad y en la capacidad de resistencia que ella tiene. En los espacios virtuales, el yo puede moverse prácticamente sin el «principio de realidad», que vendría a ser un principio de lo distinto y de la resistencia que lo distinto opone. Lo que el yo narcisista se encuentra en los espacios virtuales es, sobre todo, a sí mismo. La virtualización y la digitalización hacen que lo real que opone resistencia vaya desapareciendo cada vez más.

El sujeto de la modernidad tardía que se ve obligado a aportar rendimientos dispone de un exceso de opciones, pero no es capaz de vincularse intensamente. Con la depresión se rompen todos los vínculos, incluso el vínculo consigo mismo. El duelo se diferencia de la depresión sobre todo por su fuerte vinculación libidinosa con un objeto. La depresión, por el contrario, carece de objeto, y por eso no está orientada. Conviene distinguir también la depresión de la melancolía. La melancolía viene precedida de la experiencia de una pérdida. Por eso sigue entablando todavía una relación, concretamente una relación negativa con lo ausente. La depresión, por el contrario, queda escindida de toda relación y de toda vinculación.

El duelo se produce por la pérdida de un objeto fuertemente cargado de libido. Quien se conduele está íntegramente con aquel otro a quien ama. El yo de la modernidad tardía emplea la mayor parte de la energía libidinosa para sí mismo. La libido restante se reparte entre contactos que proliferan permanentemente y entre relaciones pasajeras. A causa de la debilidad del vínculo resulta fácil retirar la libido de un objeto para dirigirla a objetos nuevos. El arduo y doloroso «proceso de superación del duelo» resulta ahora innecesario. Los «amigos» que se agregan en las redes sociales cumplen sobre todo la función de incrementar el sentimiento narcisista de sí mismo, constituyendo una muchedumbre que aplaude y que presta atención a un ego que se expone como si fuera una mercancía.

Alain Ehrenberg supone que entre la melancolía y la depresión hay una diferencia meramente cuantitativa. La melancolía, con la que se asociaba un rasgo elitista, se habría democratizado hoy convirtiéndose en depresión: «Si la melancolía era una característica de personas excepcionales, la depresión es expresión de una *popularización de la excepcionalidad*».[59] La depresión sería una «melancolía a la que se le suma la igualdad, [...] la enfemedad *par excellence* del hombre demo-

59 Ibíd., p. 262.

crático». Ehrenberg sitúa la depresión en aquella época en la que el hombre soberano, cuya venida había vaticinado Nietzsche, se ha convertido en una realidad masiva. Por consiguiente, el depresivo es aquel que se siente extenuado a causa de su propia soberanía, es decir, aquel a quien ya no le quedan fuerzas para ser dueño de sí mismo. Está cansado de la constante exigencia de iniciativa. Con esta etiología de la depresión, Ehrenberg se enreda en una contradicción, pues la melancolía, que ya se padecía en la Antigüedad, no se puede pensar partiendo de aquel extenuado sujeto que se ve obligado a aportar rendimientos. Un melancólico de la Antigüedad es todo lo contrario de aquel depresivo que no tiene fuerzas «para hacerse dueño de sí mismo», o que carece del «apasionamiento por ser sí mismo».[60]

El sujeto que se ve obligado a aportar rendimientos y que acaba siendo depresivo no es el soberano «hombre superior», sino más bien el «último hombre». Frente a lo que Ehrenberg supone, el hombre superior de Nietzsche es un paradigma de la crítica cultural, opuesto al extenuado sujeto obligado a aportar rendimientos. De este modo, se presenta como un hombre de la ociosidad. A quien Nietzsche aborrecería sería al hiperactivo. El «alma fuerte» conserva la «tranquilidad», «se

60 Ibíd., p. 199.

mueve despaciosamente» y experimenta «aversión hacia lo demasiado vivaz». En *Así habló Zaratustra* escribe Nietzsche:

> Todos vosotros que amáis el trabajo salvaje y lo rápido, nuevo, extraño; os soportáis mal a vosotros mismos, vuestra diligencia es huida y voluntad de olvidarse a sí mismo. Si creyeseis más en la vida, os lanzaríais menos al instante. ¡Pero no tenéis en vosotros bastante contenido para la espera, y ni siquiera para la pereza![61]

Lo enfermante es la falta de esa gravitación que ayudaría al yo a cobrar gravedad. Pero el imperativo que obliga a cada uno a «tener que llegar a ser sí mismo», «a pertenecerse únicamente a sí mismo», no basta para crear una gravitación concluyente.

Pero la crítica cultural que hace Nietzsche resulta problemática en cuanto que apenas presta atención a los procesos económicos. Las formas concluyentes que darían al yo una «sustancialidad» firme lo harían demasiado inflexible para las relaciones de producción capitalistas. Las formas concluyentes bloquean la aceleración del proceso de producción capitalista. El sujeto que se ve obligado a aportar rendimientos se explota a sí mismo con

61 F. Nietzsche, *Así habló Zaratustra*, Madrid, Alianza Editorial, 2011, p. 76.

la máxima eficacia cuando se mantiene abierto a todo, cuando es *flexible*. Así es como se convierte en el último hombre.

Igual que la histeria o el duelo, la melancolía es un fenómeno de la negatividad, mientras que la depresión tiene que ver con un exceso de positividad. La tesis de Ehrenberg de que la depresión es una forma democrática de la melancolía no repara en esta diferencia fundamental. La conexión entre depresión y democracia habría que buscarla en otra parte. Para Carl Schmitt, la depresión sería característica de la democracia en cuanto que carece de fuerza concluyente, del incisivo poder de la decisión.

Ehrenberg examina la depresión exclusivamente en cuanto a la psicología y la patología del yo, sin tener en cuenta el contexto económico. El *burnout,* o el «síndrome del trabajador quemado», que a menudo antecede a la depresión, no remite tanto a aquel individuo soberano que se queda sin fuerzas «para ser dueño de sí mismo», sino que, más bien, el *burnout* es la consecuencia patológica de una autoexplotación voluntaria. El imperativo de la ampliación, de la transformación y de la reinvención de la persona, cuyo reverso es la depresión, presupone una oferta de productos vinculados con la identidad. Cuanto más a menudo cambie la identidad, tanto más se fomentará la producción. La sociedad disciplinaria industrial requiere una identidad inalterable, mientras que la sociedad posindustrial de los rendimientos, si quiere incrementar la producción, necesita una persona flexible.

Según Ehrenberg, lo que causa la depresión es la falta de relación con el conflicto:

> El éxito de la depresión remite a la perdida de relacion con el conflicto, sobre el que se basa el concepto de sujeto, tal como lo hemos heredado de finales del siglo XIX.[62]

El modelo de conflicto domina el psicoanálisis clásico. Según ese modelo, la sanación consiste en *darse cuenta*, es decir, en tomar conciencia expresa de que se está produciendo un conflicto psíquico interior. Pero el modelo de conflicto presupone la negatividad de la represión y de la negación. Por eso, tal modelo hoy ya no se puede aplicar a la depresión, que carece por completo de negatividad. Aunque Ehrenberg se da cuenta de que lo que constituye la depresión es la falta de relación con el conflicto, sin embargo, a la hora de explicar la depresión se sigue aferrando al modelo de conflicto. Según Ehrenberg, la depresión se basa en un conflicto *oculto*, que con los antidepresivos todavía se relega más a un segundo plano:

62 A. Ehrenberg, *op. cit.*, p. 11.

> Con el evangelio del desarrollo personal en una mano y el culto de la capacidad de rendimiento en la otra, no desaparece el conflicto, pero pierde evidencia y ya no es una guía.[63]

Para ir más allá de la tesis de Ehrenberg, cabe suponer que el sujeto que se ve obligado a aportar rendimientos no tolera los sentimientos negativos, que precipitarían en un conflicto. La coerción a aportar rendimientos les priva del lenguaje a tales sentimientos. Dicho sujeto ya no es capaz de trabajar en el conflicto, pues tal trabajo simplemente requiere demasiado tiempo. Más fácil resulta echar mano de los antidepresivos, que rápidamente lo vuelven a hacer a uno capaz de funcionar y de aportar rendimientos.

El hecho de que la lucha no se libra hoy entre grupos, ideologías o clases, sino entre los individuos, no resulta tan decisivo para la crisis del sujeto obligado a rendir como Ehrenberg se figura.[64] Lo problemático no es la competencia entre individuos, sino la autorreferencialidad de tal

63 Ibíd., p. 248.

64 Cf. ibíd., p. 267: «Las luchas entre los grupos son reemplazadas por la competencia individual. [...] Estamos asistiendo a un doble fenómeno: una universalización creciente pero que sigue siendo abstracta (la globalización) y una individualización también creciente, pero que resulta perceptible de manera concreta. Juntos podemos combatir muy bien contra un jefe o contra una clase enemiga, ¿pero cómo hacer eso con la globalización?».

competencia, que la recrudece convirtiéndola en una *competencia absoluta*. El sujeto obligado a rendir compite consigo mismo y cae bajo la destructiva coerción de tener que superarse constantemente a sí mismo. Esta coerción a sí mismo que se hace pasar por libertad termina siendo mortal. El *burnout* es el resultado de la competencia absoluta.

En el tránsito de la sociedad disciplinaria a la sociedad del rendimiento el «yo superpuesto» se positiviza convirtiéndose en «*yo ideal*». El «yo superpuesto» es represivo. Lo que dicta sobre todo son prohibiciones. Domina al yo con el «gesto áspero y cruel del deber imperativo», con el «carácter de lo duramente restrictivo y cruelmente prohibitivo». A diferencia del represivo «yo superpuesto», el «yo ideal» resulta seductor. El sujeto obligado a rendir *se proyecta* hacia el «yo ideal», mientras que el sujeto obediente *se somete* al «yo superpuesto». Sometimiento y proyección son dos modos diferentes de existir. El «yo superpuesto» irradia una coerción negativa. El «yo ideal», por el contrario, ejerce una coerción positiva sobre el yo. La negatividad del «yo superpuesto» restringe la libertad del yo. El proyectarse al «yo ideal», por el contrario, se interpreta como un acto de libertad. Pero si el yo se queda atrapado en un «yo ideal» inalcanzable, entonces se siente desazonado en toda regla por su causa. Del abismo que se abre entre el yo real y el yo ideal surge entones una autoagresividad.

El sujeto típico de la modernidad tardía, obligado a aportar rendimientos, no está sometido a nadie. En realidad, ha dejado de ser sujeto, pues lo que caracteriza al sujeto es el sometimiento (sujeto, *sub-iectum*, significa literalmente «arrojado por debajo», de ahí que también nosotros digamos «sujeto a»). Ahora, el sujeto se positiviza; es más, se libera, convirtiéndose en un proyecto. Pero la transformación de sujeto en proyecto no hace que desaparezcan las coerciones. La coerción externa es reemplazada por una autocoerción que se hace pasar por libertad. Este desarrollo guarda una estrecha relación con las relaciones capitalistas de producción. A partir de un determinado nivel de producción, la autoexplotación se vuelve esencialmente más eficaz y de mucho mayor rendimiento que la explotación a cargo de otros, porque viene acompañada de la sensación de libertad. La sociedad del rendimiento es una sociedad de la autoexplotación. El sujeto obligado a aportar rendimientos se explota a sí mismo hasta quemarse del todo *(burnout)*. En ello se desarrolla una autoagresividad que rara vez no se recrudece hasta llevar al suicidio. El proyecto resulta ser un *proyectil* que el sujeto obligado a rendir dispara contra sí mismo.

Ante el «yo ideal», el yo real aparece como un fracasado que se abruma a base de autorreproches. El yo guerrea contra sí mismo. En esta guerra no puede haber ganadores, pues termina con la muerte del vencedor. El sujeto obligado a rendir se quebranta al vencer. La sociedad de la positividad, que cree haberse liberado de toda coerción externa, se enreda en autocoerciones destructivas. De este modo, las enfermedades psíquicas como el *burnout* o la depresión, que son las enfermedades características del siglo XXI, muestran en conjunto rasgos autoagresivos. Uno ejerce violencia contra sí mismo y se autoexplota. La violencia a cargo de otros es reemplazada por una violencia autogenerada, la cual resulta más fatal que aquella, porque la víctima de esta violencia se figura que es libre.

Originalmente, el *homo sacer* es alguien a quien se excluye de la sociedad por culpa de un delito. Se lo puede matar impunemente. El soberano dispone del poder absoluto de cancelar el orden jurídico imperante. El soberano encarna el poder legislativo que guarda una relación con el orden jurídico quedando fuera de él. El soberano puede sentar jurisprudencia sin tener razón. Al cancelar el orden jurídico imperante, el estado de excepción crea un hueco legal en el que resulta posible disponer absolutamente de cada uno. La aportación original de la soberanía es la producción de la nuda vida del *homo sacer*. La supervivencia es pura porque es la de una vida que queda fuera del orden jurídico y a la que, por tal motivo, se puede matar en cualquier momento.

Según Agamben, la vida humana solo se politiza gracias a su inclusión en el poder de la soberanía, en concreto, «solamente mediante el abandono a un poder incondicionado de muerte».[65] La pura supervivencia de la vida que se puede matar y el poder de la soberanía se generan mutuamente:

> Contrariamente a todo lo que los modernos estamos habituados a representarnos como espacio de la política en términos de derechos del ciudadano, de libre voluntad y de contrato social, *solo la nuda vida es auténticamente política* desde el punto de la soberanía.[66]

La «vida expuesta a la muerte» es «el elemento político originario», es el anatema que da lugar a la «vida nuda del *homo sacer*». La soberanía y la pura supervivencia del *homo sacer* marcan los dos extremos opuestos de un orden. Ante el soberano, todos los hombres son potencialmente *homines sacri*.

La teoría de Agamben del *homo sacer* se aferra al esquema de la negatividad. De este modo, el criminal y la víctima, el soberano y el *homo sacer* quedan netamente diferenciados, también a nivel topológico. Según Agamben, la soberanía y la

65 G. Agamben, *Homo Sacer: El poder soberano y la nuda vida*, Valencia, Pre-Textos, 1998, p. 118.
66 Ibíd., p. 114.

pura pervivencia del *homo sacer* marcan «los dos extremos más alejados de un orden legal». El estado de excepción del que habla Agamben es un estado de negatividad. Los *homines sacri* de la sociedad del rendimiento, por el contrario, pueblan el estado normal totalizado, que es un estado de positividad. Agamben no se da cuenta de la mudanza topológica del poder, en la cual se basa, a su vez, la mudanza de la sociedad de la soberanía a la sociedad del rendimiento.

El sujeto obligado a rendir queda libre de toda instancia dominadora externa que lo fuerce a trabajar y lo explote. Queda sometido únicamente a sí mismo. Pero la pérdida de la instancia dominadora externa no basta para eliminar la estructura coercitiva, sino que hace que libertad y coerción se identifiquen. El sujeto obligado a rendir se encomienda a la coerción de maximización del rendimiento. Así es como se explota a sí mismo. El explotador es al mismo tiempo el explotado, es a la vez criminal y víctima, señor y vasallo. El sistema capitalista, para acelerarse, conmuta la explotación externa por la autoexplotación. El sujeto obligado a rendir, que se hace pasar por soberano de sí mismo, por *homo liber*, resulta ser un *homo sacer*. El sujeto obligado a rendir en cuanto que soberano es al mismo tiempo *homo sacer* de sí mismo. De este modo, el *homo liber* acaba resultando ser *homo sacer*. Siguiendo una lógica paradójica, en la sociedad del rendimiento, el soberano y el *homo sacer* también se generan mutuamente.

Cuando Agamben comenta que todos nosotros quizá seamos virtualmente *homines sacri*, lo dice porque todos nosotros quedamos bajo la misma proscripción soberana y estamos expuestos sin excepciones a que nos puedan matar sin contravención legal. Este diagnóstico de Agamben contradice los rasgos característicos de la sociedad actual, que ha dejado de ser una sociedad de la soberanía. La proscripción que hoy nos convierte a todos en *homines sacri* no es una proscripción de la soberanía, sino un *hechizo del rendimiento*. El sujeto obligado a rendir que se figura que es libre, que se imagina que es *homo liber* y soberano de sí mismo, queda él mismo bajo este *hechizo del rendimiento* y se convierte a sí mismo en *homo sacer*.

También la teoría de Ehrenberg de la depresión pasa por alto la violencia sistemática inherente a la sociedad del rendimiento. Su teoría está planteada en gran medida a nivel psicológico, pero no económica ni políticamente. De este modo, en las enfermedades psíquicas del sujeto obligado a aportar rendimientos, Ehrenberg no advierte la relación de dominio neoliberal, que hace que aquel hombre soberano, aquel empresario de sí mismo, se convierta en vasallo de sí mismo.

La economía capitalista absolutiza la supervivencia. Se nutre de la ilusión de que más capital genera más vida, mayor capacidad de vivir. La rígida y rigurosa separación entre vida y muerte recubre la propia vida de una rigidez fantasmagórica. La preocupación por la vida buena deja paso a la histeria por la supervivencia.[67] La reducción de la vida a procesos biológicos y vitales desnuda la vida misma, despojándola de toda narratividad. Priva a la vida de viveza, que es mucho más compleja que la mera vitalidad y salud. La locura por ser sano surge cuando la vida ha quedado desnuda como una moneda y vaciada de todo contenido narrativo. Ante la atomización de la sociedad y la erosión de lo social, lo único que queda es el *cuerpo del yo*, que hay que mantener sano a cualquier precio. La pura supervivencia hace que desaparezca toda teleología, toda finalidad a causa de la cual uno deba estar sano. La salud se vuelve autorreferencial y se vacía, convirtiéndose en una *conveniencia sin objetivo*.

La vida del *homo sacer* de la sociedad del rendimiento es sagrada y pura por un motivo totalmente distinto. Es pura porque, despojada de toda

67 Aristóteles llama la atención sobre el hecho de que la mera ganancia de capital es reprobable, porque solo se preocupa de la mera vida y no de la vida buena: «De ahí que algunos crean que esa es la función de la economía doméstica, y acaban por pensar que hay que conservar o aumentar la riqueza monetaria indefinidamente. La causa de esta disposición es el afán de vivir, pero no de vivir bien. En efecto, al carecer aquel deseo de límites, ellos desean también sin límites los medios para lograr esto» (*Política*, 1257b).

trascendencia, queda reducida a la inmanencia de la mera vida, que hay que procurar prolongar por todos los medios. La salud es elevada a nueva diosa.[68] Por eso la pura supervivencia es sagrada. Los *homines sacri* de la sociedad del rendimiento se diferencian de los de la sociedad de la soberanía también por la peculiaridad de que no hay manera de matarlos. Su vida parece la de un muerto viviente. Son demasiado vitales como para morir, y están demasiado muertos como para vivir.

68 El último hombre de Nietzsche, después de la muerte de Dios, proclama a la salud como la nueva diosa: «Honra la salud. Nosotros hemos inventado la felicidad —dicen los últimos hombres y parpadean» (*Así habló Zaratustra, op. cit.*, p. 41).

EL TIEMPO SUBLIME
La fiesta en tiempos sin festividad

Hoy vivimos en unos tiempos sin fiestas, en una época sin festividad. ¿Qué es una fiesta? Ya la peculiaridad lingüística nos da una primera indicación de su carácter. Nosotros decimos: «Celebramos una fiesta». La celebración viene asociada a una peculiar temporalidad de la fiesta. La palabra «celebración» cancela la noción de un objetivo al cual uno se dirige. Cuando celebramos, no hay que dirigirse primero a alguna parte para llegar ahí. En la fiesta se ha eliminado el tiempo como sucesión de momentos pasajeros y fugaces. Se celebra una fiesta igual que se recorre un espacio en el que *ya se está*. La celebración se opone al transcurso. En la celebración de la fiesta no *transcurre* nada. En cierto sentido, el tiempo de la fiesta es imperecedero.

En su ensayo *La actualidad de lo bello*, el filósofo Hans-Georg Gadamer concibe la peculiar afinidad entre arte y fiesta desde la temporalidad que tienen en común:

> La esencia de la experiencia temporal del arte es que aprendemos a demorarnos. Esa es quizá la correspondencia a nuestra medida de lo que llamamos «eternidad».[69]

El tiempo de la fiesta es el tiempo que no transcurre. Es, en un sentido peculiar, el «tiempo sublime».

Karl Kerényi escribe acerca de la esencia de la fiesta:

> Un esfuerzo puramente humano, el cumplimiento corriente de un deber, no es precisamente una fiesta, y partiendo de lo no festivo no se podrá ni celebrar ni comprender una fiesta. Ha de sumarse algo divino por medio de lo cual sea lo que de otro modo sería imposible. Uno se eleva a un plano donde todo es «como en el primer día», luminoso, nuevo y primigenio; donde se está entre dioses, donde hasta uno mismo se torna divino; donde sopla un hálito creador y se participa en la creación. Esta es la esencia de la fiesta.[70]

69 H.-G, Gadamer, «Die Aktualität des Schönen. Kunst als Spiel, Symbol und Fest», en *Ästhetik und Poetik 1. Kunst als Aussage*, Tubinga, Mohr Siebeck, 1993, p. 136 [trad. cast.: *La actualidad de lo bello*, Barcelona, Paidós, 1991].

70 K. Kerényi, *La religión antigua*, Barcelona, Herder, 2011, p. 46.

La fiesta es el acontecimiento, el lugar donde se está entre dioses, es más, donde uno mismo se vuelve divino. Los dioses se alegran cuando los hombres juegan. Los hombres juegan para los dioses. Cuando vivimos en unos tiempos sin festividad, en una época sin fiesta, perdemos toda relación con lo divino.

En el diálogo platónico *Las leyes* se dice:

> Pero el hombre ha sido hecho para ser un juguete de los dioses, y eso es realmente lo mejor de él. Así es como tienen que vivir la vida todos, tanto hombres como mujeres, siguiendo este principio y jugando a los juegos más hermosos. [...] Para poder hacer que los dioses se nos vuelvan benignos [...] hay que vivir jugando, [...] haciendo sacrificios, cantando y bailando.

Originalmente, los ritos sacrificiales eran ágapes en los que participaban en común hombres y dioses. Las fiestas y los rituales abren un acceso a lo divino.

Mientras trabajamos y producimos no estamos con los dioses ni somos nosotros mismos divinos. Los dioses no producen ni trabajan. Quizá deberíamos recuperar aquella divinidad, aquella festividad divina, en lugar de seguir siendo siervos del trabajo y del rendimiento. Deberíamos percatarnos de que hoy, habiendo absolutizado el trabajo, el rendimiento y la producción, hemos perdido toda festividad, todo tiempo sublime. El tiempo laboral, que hoy se totaliza, destruye aquel tiempo sublime como tiempo de la fiesta.

La desaceleración no basta para generar un tiempo sublime. El tiempo sublime es un tiempo que no se puede acelerar ni desacelerar. Eso que se da en llamar «aceleracionismo», a lo que tanta publicidad se da hoy en día, no se percata de que a la actual crisis temporal no hemos llegado ni por la desaceleración ni por la aceleración de los procesos. Necesitamos una nueva forma de vida, una nueva narrativa de la que surja un tiempo distinto, otro tiempo vital, una forma de vida que nos redima del desenfrenado estancamiento.

Tanto la fiesta como las celebraciones tienen un origen religioso. La palabra latina *feriae* significa «el tiempo reservado para actos religiosos y de culto». *Fanum* significa «lugar sagrado, consagrado a una divinidad». La fiesta comienza cuando termina el pro-fano tiempo cotidiano (profano significa, literalmente, «que queda delante del recinto sagrado»). Presupone una consagración. Para entrar en el tiempo sublime de la fiesta, uno tiene que ser consagrado. Si se suprime aquel umbral, aquella transición, aquella consagración que separa lo sagrado de lo profano, lo único que queda es el tiempo cotidiano y pasajero que luego se explota como tiempo laboral. Hoy, ha desaparecido por completo el tiempo sublime a favor del tiempo laboral, que se totaliza. Incluso la pausa queda inscrita en el tiempo laboral. Sirve para que descansemos del trabajo y podamos seguir funcionando luego.

El tiempo sublime es un tiempo colmado, a diferencia del tiempo laboral como tiempo vacío que meramente se trata de rellenar y que se mueve entre el aburrimiento y la laboriosidad. En la fiesta, por el contario, se realiza un momento de intensidad vital incrementada. Hoy en día, la vida va perdiendo cada vez más intensidad. La vida sana como supervivencia es el nivel absolutamente nulo de la vida.

¿Es posible una festividad hoy en día? Desde luego que hoy hay fiestas. Pero no son una festividad en sentido propio. Tanto «fiesta» como «festival» proceden de la palabra latina *festus*. *Festus* significa lo referente a los días destinados a los actos religiosos. Las fiestas o los festivales actuales son eventos o espectáculos. La temporalidad del evento se opone a la temporalidad de la fiesta. «Evento» procede de la palabra latina *eventus*. *Eventus* significa «producirse de repente», «acontecer». Su temporalidad es la eventualidad. La eventualidad es todo lo contrario de la necesidad del tiempo sublime. Es la temporalidad de la propia sociedad actual, que ha perdido toda obligatoriedad y todo lo vinculante.

En la sociedad del trabajo y del rendimiento actual, que muestra los rasgos de una sociedad coercitiva, todo el mundo porta consigo un almacén y un campo de trabajo. La peculiaridad de este campo de trabajo consiste en que uno es al mismo tiempo prisionero y vigilante, víctima y criminal, señor y vasallo. Nos explotamos a nosotros mismos. El explotador es al mismo tiempo el explotado. Ya no cabe distinguir entre criminales y víctimas. Nos matamos a base de optimizarnos para poder funcionar mejor. Un mejor funcionamiento se interpreta fatídicamente como mejora del yo.

La autoexplotación resulta más eficaz que la explotación a cargo de otros, pues va acompañada de la sensación de libertad. Paradójicamente, el primer síntoma del *burnout* es la euforia. Uno se lanza con euforia al trabajo. Al final uno se derrumba.

En la época del reloj para fichar era posible separar claramente el trabajo del ocio. Hoy, la nave industrial se mezcla con la sala de estar. A causa de ello, es posible trabajar en todas partes y a cada momento. El ordenador portátil y el *smartphone* constituyen un campo de trabajo portátil.

La revolución clásica tiene como objetivo superar la situación de alienación que resulta del trabajo. La alienación significa que el trabajador ya no se reconoce en el trabajo. Según Marx, su trabajo es una continua *auto-des-realización*. Hoy vivimos en una época posmarxista. En el régimen neoliberal, la explotación ya no se produce como alienación y auto-des-realización, sino como libertad y autorrealización. Aquí ya no existe el otro como explotador que me obliga a trabajar y me explota, sino que más bien soy yo mismo quien me exploto voluntariamente, creyendo que me estoy realizando. Me mato a base de autorrealizarme. Me mato a base de optimizarme. En este contexto resulta imposible toda resistencia, toda sublevación, toda revolución.

Vivimos en una fase histórica peculiar, en la que la propia libertad engendra coerciones. La libertad de la *capacidad* engendra incluso más coerciones que ese *deber* disciplinario que dicta mandatos y prohibiciones. El *deber* tiene un límite. La *capacidad*, por el contrario, no lo tiene: está abierta por arriba. De ahí que la coerción que viene de la *capacidad* resulte ilimitada. Nos hallamos, por tanto, en una situación paradójica. En realidad, la libertad es lo opuesto a la coerción. Ser libre significa quedar libre de coerciones. Pero ahora resulta que esta libertad, que tendría que ser lo opuesto de la coerción, por sí misma engendra coerciones. Enfermedades psíquicas como la depresión o el *burnout* reflejan una profunda crisis de la libertad. Son un síntoma patológico de que la libertad se trueca hoy muchas veces en coerción. Tal vez la sociedad anterior fuera más represiva que la actual, pero hoy no somos esencialmente más libres. La represión deja paso a la depresión.

Hoy, la vida se ha convertido en supervivencia. La vida como supervivencia conduce a una histeria por la salud. Paradójicamente, lo sano irradia algo mórbido, algo inerte. Sin la negatividad de la muerte, la vida se anquilosa volviéndose algo muerto. La negatividad es la fuerza vivificante de la vida. Theodor W. Adorno escribe en su obra *Minima Moralia*:

> La proliferación de lo sano trae inmediatamente consigo la proliferación de la enfermedad. Su antídoto es la enfermedad consciente de sí misma, la restricción de la vida propiamente tal. Esa enfermedad curativa es lo bello. Este pone freno a la vida, y, de ese modo, a su colapso. Mas si se niega la enfermedad en nombre de la vida, la vida hipostasiada, por su ciego afán de independencia de ese otro momento se entrega a este de lo pernicioso y destructivo, de lo cínico y lo arrogante. Quien odia lo destructivo tiene que odiar también la vida: solo lo muerto se asemeja a lo viviente no deformado.[71]

71 T. Adorno, *Minima moralia: reflexiones desde la vida dañada*, Madrid, Taurus, 2001, p. 75.

La actual sociedad de la supervivencia, que absolutiza lo sano, elimina justamente lo bello. Y la mera vida sana, que hoy asume la forma de una supervivencia histérica, se trueca en lo muerto; es más, en lo «muerto viviente». Somos zombis de la salud y del *fitness*, zombis del rendimiento y del bótox. De este modo, hoy estamos demasiado muertos como para vivir y somos demasiado vitales como para morir.

El hombre no ha nacido para trabajar. Quien trabaja no es libre. Según Aristóteles, el hombre libre es alguien que no depende de las necesidades de la vida ni de sus coerciones. Dispone de tres formas de vida libre. En primer lugar, la vida que se consagra al disfrute de las cosas bellas. Luego, la vida que produce acciones bellas en la polis. Y, por último, la vida contemplativa, que investigando lo que nunca perece se mantiene en el ámbito de la belleza permanente. Por consiguiente, realmente libres son los poetas, los políticos y los filósofos.

Estas formas de vida libre se diferencian de aquellas otras que se ordenan meramente a conservar la vida. De este modo, la vida del comerciante, que busca la ganancia, no es libre. Para Hannah Arendt, las tres formas de vida libre tienen en común que todas ellas se desarrollan en el ámbito de lo bello, es decir, en compañía de cosas que no se necesitan forzosamente, es más, que ni siquiera sirven para nada determinado. La salvación de lo bello es también la salvación de lo político. Hoy parece que la política vive solo a base de decretos-leyes. Ha dejado de ser libre, es decir, hoy ya no existe la política. Además, cuando la política no permite ninguna alternativa, se asemeja a una dictadura, a la dictadura del capital. Los políticos, ahora degradados a esbirros del sistema y que en el mejor de los casos son economistas o contables muy capacitados, han dejado de ser políticos en el sentido aristotélico del término.

Lo que constituye la vida del político *(bios politikos)* es actuar en sentido empático. Tal vida no queda sometida al veredicto de la necesidad y de la utilidad. Las organizaciones sociales son necesarias para la convivencia humana. A causa de esta necesidad no se encuadran en lo político. Ni la necesidad ni la utilidad son categorías del *bios politikos*. El político tiene que actuar como hombre libre, tiene que producir actos bellos y formas bellas de vida más allá de lo necesario para la vida y de lo útil. Por ejemplo, debe modificar la sociedad para hacer que sea posible más justicia y más felicidad. Actuar políticamente significa hacer que comience algo del todo distinto o generar un nuevo orden social. El conocido argumento de que no hay ninguna alternativa no significa más que el final de la política. Hoy, los políticos *trabajan* demasiado, pero *actúan* demasiado poco.

El neoliberalismo, que genera mucha injusticia, no es bello. La palabra inglesa *fair* significa tanto «justo» como «bello». La palabra alemana *Fegen*, «barrer», significa originalmente «sacar brillo». La doble acepción de *fair* es un elocuente indicativo de que la belleza y la justicia se basan originalmente en la misma noción. La justicia se percibe como bella. La justicia y la belleza están conectadas por una sinestesia peculiar.

Como enseña el filósofo Giorgio Agamben, el término «profanación» significa destinar las cosas a un uso distinto y más libre asignándoles una finalidad ajena y sacándolas de su plexo funcional original:

> Los niños, que juegan con cualquier trasto viejo que encuentran, transforman en juguete aun aquello que pertenece a la esfera de la economía, de la guerra, del derecho y de las otras actividades que estamos acostumbrados a considerar como serias. Un automóvil, un arma de fuego, un contrato jurídico se transforman de golpe en juguetes.[72]

En plena crisis financiera sucedió algo en Grecia que da la impresión de ser un signo del futuro.

72 G. Agamben, *Profanaciones*, Buenos Aires, Adriana Hidalgo, 2005, pp. 100 s.

En una casa en ruinas unos niños descubren un fajo grande de billetes. Le dan otro uso. Juegan con los billetes y los rompen. Posiblemente estos niños estén anticipando nuestro futuro: el mundo está en ruinas. En estas ruinas nosotros jugamos con billetes y los rompemos, como hicieron aquellos niños. Estos niños griegos profanan el dinero, el capital, el nuevo ídolo, destinándolo a un uso totalmente distinto, que en este caso es el juego. La profanación transforma de golpe el dinero, que hoy se vuelve fetiche, en un juguete.

Si esta situación resulta tan inusitada se debe sobre todo a que se produjo justamente en un país que hoy sufre tanto bajo el yugo del capital, bajo el terror del neoliberalismo. Se trata, en efecto, de un terrorismo del capital y del capitalismo financiero. Aquel inusitado suceso que se produjo en Grecia tiene un carácter eminentemente significativo. Da la impresión de ser un signo del futuro. Hoy se trata de profanar el trabajo, la producción, el capital, el tiempo laboral, y de transformarlos en el tiempo del juego y de la fiesta.

También la belleza se explica en función de la festividad. Karl Kerényi escribe:

> Embellecerse para la fiesta y ser tan bello en la fiesta como pueden serlo los hombres mortales, los cuales de este modo se parecen a los dioses: este es un rasgo fundamental de la festividad que

> le venía al dedo al arte, habiendo una afinidad originaria entre lo festivo y lo bello que, sin embargo, en ningún pueblo se manifestó y dominó el culto de la manera en que lo hizo entre los griegos.[73]

En lo que respecta a la belleza, la fiesta y el culto, los griegos pueden brillar prodigiosamente: ningún otro pueblo europeo ha engendrado tanto esplendor y belleza. Incluso la palabra «cosmética» procede de la palabra griega *cosmos*, que significa «orden bello y divino».

El arte y la fiesta guardan una conexión muy estrecha. Según Nietzsche, el arte original es el arte de las fiestas. Las obras de arte son testimonios materializados de aquellos momentos dichosos de una cultura en los que se cancela el tiempo habitual que transcurre: «Antiguamente, todas las obras de arte eran expuestas en la gran vía festiva de la humanidad, como signos conmemorativos y como monumentos de momentos sublimes y dichosos». Las obras de arte eran en un primer momento monumentos del tiempo sublime. Son testimonios de los bienaventurados momentos sublimes de una cultura. Originalmente, las obras de arte solo existían dentro del culto, de los actos de culto. Las obras de arte

73 K. Kerényi, *op. cit.*, p. 50.

poseían en un principio un valor de culto. Hoy han perdido todo ese valor. El valor de culto deja paso al valor expositivo y al valor de mercado. Las obras de arte no se exponen en la vía festiva, sino en los museos, y se guardan en las cámaras acorazadas de los bancos. Los museos y las cámaras acorazadas de los bancos son los calvarios del arte. Son lugares de un tiempo nulo, es más, de la negación del tiempo.

Las obras de arte eran originalmente manifestaciones de la vida intensa, sobreexcedente, rebosante. Hoy se han perdido por completo las intensidades de la vida. Han cedido paso al consumo y a la comunicación. Incluso el Eros ha cedido paso a la pornografía. Hoy todo se nivela y se pule reduciéndolo al nivel absolutamente nulo. Justamente esta pulidez acelera la circulación de la información, de la comunicación y del capital, incrementando la productividad y la eficacia.

Hoy las cosas solo obtienen un valor si son vistas y expuestas, si acaparan la atención. Hoy nos exponemos en Facebook, convirtiéndonos así en mercancía. Originalmente, la palabra «producción» no significaba «fabricación» ni «elaboración», sino «exhibir», «hacer visible». Este nivel semántico fundamental de la producción todavía sigue vigente en el francés. *Se produire* significa «presentarse», «dejarse ver». También en alemán se puede percibir este significado en el empleo peyorativo de *sich produzieren*, en el sentido de «darse tono». Sí, hoy nos afanamos en exhibirnos en las redes sociales, en Facebook. Dándonos tono, producimos informaciones y aceleramos la comunicación. Nos hacemos visibles, nos exponemos como si fuéramos mercancía. Nos exhibimos para la producción, para esa circulación de información y comunicación que hay que acelerar. La vida como producción total hace que desaparezcan tanto los rituales como las fiestas. En estas más bien se dilapida que se produce.

Hoy el capital lo somete todo. *Lifetime value* significa la suma de los valores que se pueden obtener de un hombre considerándolo como cliente si se comercializan todos los momentos de su vida. La persona humana queda reducida aquí al *customer value,* o al valor de mercado. Este concepto se basa en la intención de transformar a la persona entera, toda su vida, en valores puramente comerciales. El hipercapitalismo actual disuelve por completo la existencia humana en una red de relaciones comerciales. Ya no queda ningún ámbito vital que no esté sometido al aprovechamiento comercial. El hipercapitalismo convierte todas las relaciones humanas en relaciones comerciales. Despoja al hombre de su dignidad reemplazándola por completo por el valor de mercado.

En el mundo actual se ha perdido todo lo divino y festivo. Se ha convertido nada más que en unos grandes almacenes. Lo que se suele llamar *sharing economy,* o consumo colaborativo, nos convierte a todos nosotros en vendedores a la búsqueda de clientes. Llenamos el mundo de cosas con una duración y una validez cada vez más breves. El mundo se asfixia en medio de las cosas. Estos grandes almacenes no se diferencian esencialmente de un manicomio. Parece que lo tengamos todo, pero nos falta lo esencial: el mundo. El mundo ha perdido la voz y el habla; es más, ha perdido el sonido. El ruido de la comunicación ha sofocado el silencio. La proliferación y la masificación de las cosas ha desplazado el vacío. Cielo y tierra están repletos de cosas. Este mundo de mercancías no es apropiado para ser *habitado.* Ha perdido toda referencia a lo divino, a lo santo, al misterio, a lo infinito, a lo superior, a lo sublime. También hemos perdido toda capacidad de asombrarnos. Vivimos en unos grandes almacenes transparentes en los que nos vigilan y manejan como si fuéramos clientes transparentes. Sería necesario escapar de estos grandes almacenes. Deberíamos volver a convertir los grandes almacenes en una casa; es más, en un centro festivo en el que realmente merezca la pena vivir.